# The BROONS

£2.35

D.C. THOMSON & Co. Ltd., GLASGOW: LONDON: DUNDEE

GLEBE STREET

Printed and Published in Great Britain by D. C. THOMSON & CO., LTD., 185 Fleet Street, London EC4A 2HS.

**ISBN** 0 85116 408 0

*Here they are, wi' a sook and a blaw —*

*And a tum-ti-tum, and a screech or twa!*

HELLO, YOU LOT. I'VE TAE PRACTISE FOR THE CHRISTMAS SERVICE AT THE KIRK.

I'LL JIST HUM IT TAE GET THE FEEL . . .

NA, NA, THAT'S NO' HOW IT GOES —IT'S MAIR TA-TI-TA-TUM . . .
NAW, NAW. LISTEN . . .

. . . THAT'S HOW IT GOES!
AWA' WI' YE! I'LL PLAY IT ON MY FIDDLE . . .

AWA'! THAT'S NOTHIN' LIKE IT! GIE ME SOME PAPER AN' A COMB . . .
SCRAPE!
SCREECH!

TRY ANOTHER KEY . . .
BLAW!
SOOK!
SCREECH!
TINKLE!

WHEESHT, A'BODY. THERE'S SOMEBODY AT THE DOOR.

CAN YE NO' BE A BIT QUIETER, MRS BROON? AH CANNA HEAR MASEL' THINK . . .
OH, I'M AFFY SORRY, MR MACKAY . . .

. . . IT'S JIST THE FAMILY PRACTISIN' SILENT NIGHT!
SHAME

MUD PAC

*A book o' pranks, and the writing's bad —*

*And it a' points tae a certain lad!*

MAW SAYS YE'VE TAE CLEAR A' THE AULD TOYS AND RUBBISH OOT O' THIS CUPBOARD TAE MAK' ROOM FOR THE NEW THINGS YE GOT AT CHRISTMAS.
WELL, LET'S GET RID O' THIS AULD DIARY FOR A START!

AULD DIARY, EH? LET'S HAE A LOOK!

WHIT'S THIS? APRIL 1ST . . . TOOK A RISE OOT O' TEACHER—PIT A DRAWIN' PIN ON HIS CHAIR!

HERE'S ANITHER ANE. JUNE 3RD—TOLD TAE PAINT A COO FOR ART HOMEWORK. FARMER GREEN DIDNA APPRECIATE THE PURPLE SPOTS ON HIS BLACK AN' WHITE COO.

THIS GETS WORSE! SEPTEMBER 10TH—DID GROUSER GRANT A GUID TURN. PICKED SOME O' HIS APPLES. PITY THEY TASTED SOUR!

A CATALOGUE O' MISCHIEF, THAT'S WHIT THIS IS! AND THE WRITING'S A DISGRACE INTO THE BARGAIN!

WHEN I WIS YOUR AGE, I WIS A MODEL O' GUID BEHAVIOUR, A PERFECT SCHOLAR . . . SO OWN UP THEN. WHA'S MISDEEDS ARE THESE?

YOURS!

WE FOUND IT LYING AHENT A LOAD O' AULD BOOKS—AND IT'S GOT YOUR NAME IN THE FIRST PAGE!

*Puir auld Paw! He canna win —*

*His new bunnet's got a twin!*

SWEETS AND TOBACCO

WELL, WHIT DAE YE THINK O' THE NEW BUNNET, THEN?
HMPH!
SALE

IT'S AN AWFY COLOUR!
AYE, AND IT'S FAR OWER BIG.
AWA'! I GOT IT REAL CHEAP AT THAT SALE. JIST THINK O' THE MONEY I SAVED!
I JUST HOPE NONE OF OUR FRIENDS SEE US WITH YOU!

IT'S A DISGRACE!
AYE, PRETEND HE'S NO' WI' US!
I KEN A BARGAIN WHEN I SEE ANE! AN' WHIT IF IT IS A WEE BITTIE ON THE BIG SIDE . . .

BUT—
HELP! MY NEW BUNNET! IT'S AWA' WI' THE WIND!

STOP! COME BACK!

AH! THERE IT IS!

HOI! TAK' YER THIEVIN' HANDS AFF MY BUNNET!
JINGS, IT'S FU' O' MONEY!

THERE WIZ A MORNIN'S TAKIN'S IN THAT BUNNET! I'LL LET YE AFF WI' FOWER POUND FIFTY. PAY UP!
HO-HO! SO MUCH FOR SAVING MONEY!
SERVES HIM RICHT FOR NO' BUYIN' THE RICHT SIZE O' BUNNET!

*Here's "mower" fun —*

*For everyone!*

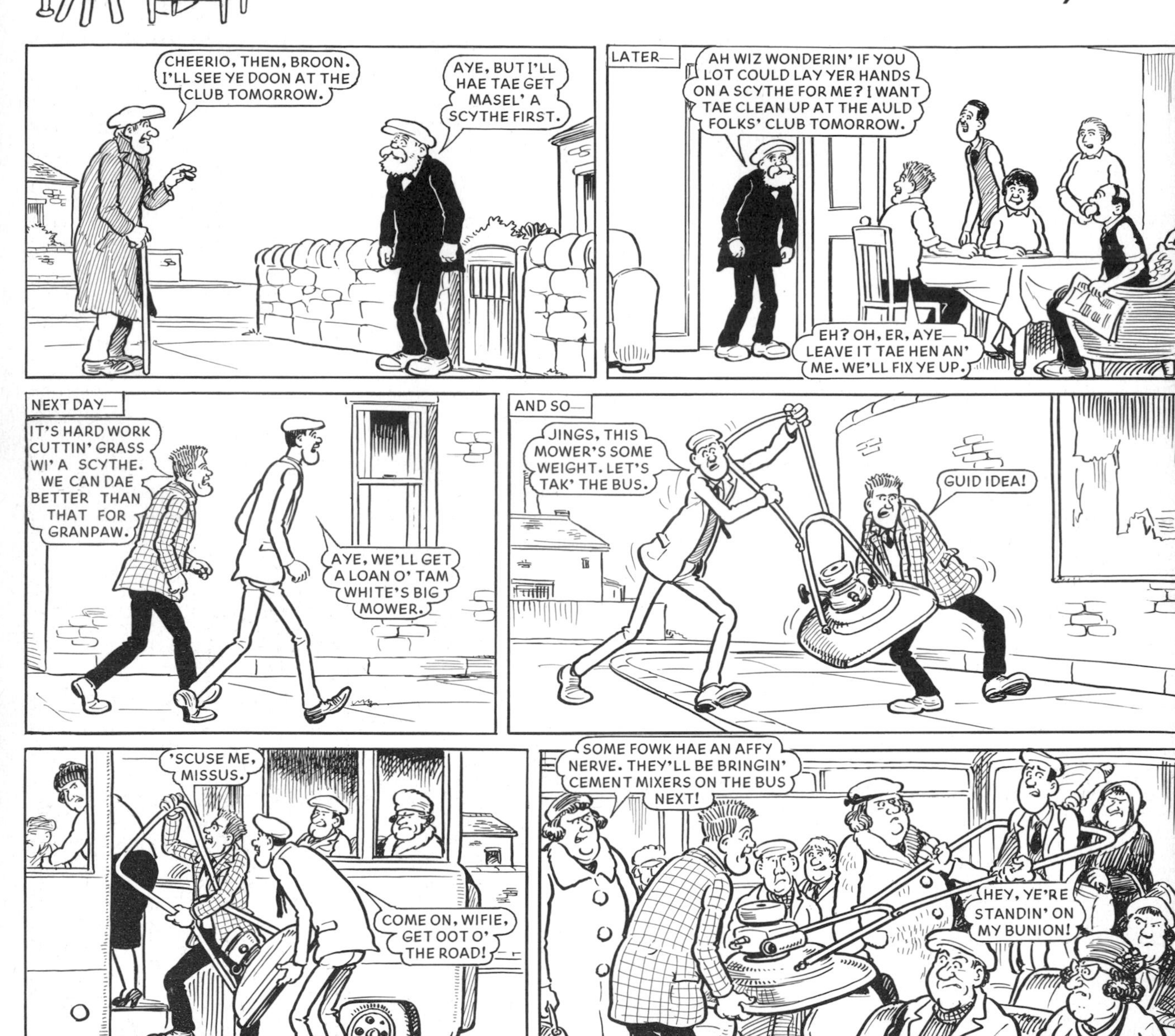
CHEERIO, THEN, BROON. I'LL SEE YE DOON AT THE CLUB TOMORROW.
AYE, BUT I'LL HAE TAE GET MASEL' A SCYTHE FIRST.
LATER—
AH WIZ WONDERIN' IF YOU LOT COULD LAY YER HANDS ON A SCYTHE FOR ME? I WANT TAE CLEAN UP AT THE AULD FOLKS' CLUB TOMORROW.
EH? OH, ER, AYE— LEAVE IT TAE HEN AN' ME. WE'LL FIX YE UP.
NEXT DAY—
IT'S HARD WORK CUTTIN' GRASS WI' A SCYTHE. WE CAN DAE BETTER THAN THAT FOR GRANPAW.
AYE, WE'LL GET A LOAN O' TAM WHITE'S BIG MOWER.
AND SO—
JINGS, THIS MOWER'S SOME WEIGHT. LET'S TAK' THE BUS.
GUID IDEA!
'SCUSE ME, MISSUS.
COME ON, WIFIE, GET OOT O' THE ROAD!
SOME FOWK HAE AN AFFY NERVE. THEY'LL BE BRINGIN' CEMENT MIXERS ON THE BUS NEXT!
HEY, YE'RE STANDIN' ON MY BUNION!
TCH!

AT LAST—
ANYBODY SEEN GRANPAW BROON?
AYE, HE'S IN THE BACK ROOM GETTIN' CHANGED. HE'LL BE OOT IN A MEENIT!
FINE, TELL HIM WE'VE GOT A GRAND, BIG MOWER INSTEAD O' A SCYTHE.
BUT—
YE GREAT BIG GALOOTS! I WIZ GOIN' TAE CLEAN UP IN OOR FANCY DRESS COMPETITION, WI' MY AULD FATHER TIME COSTUME—BUT WHA EVER HEARD O' FATHER TIME WI' A MOWER?

*First one leg's short, and then another —*

*Poor Paw's in a spot o' bother!*

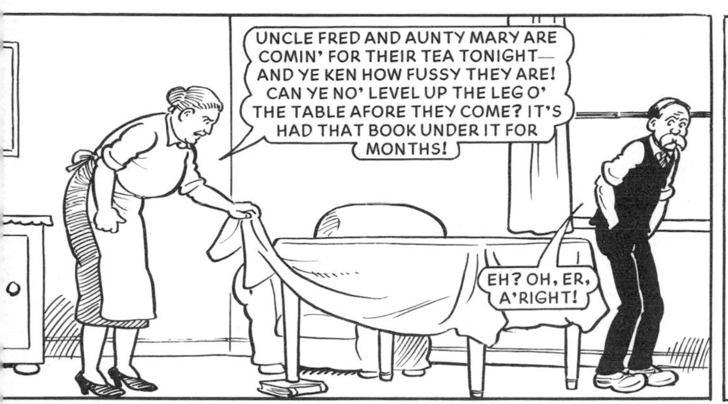
UNCLE FRED AND AUNTY MARY ARE COMIN' FOR THEIR TEA TONIGHT— AND YE KEN HOW FUSSY THEY ARE! CAN YE NO' LEVEL UP THE LEG O' THE TABLE AFORE THEY COME? IT'S HAD THAT BOOK UNDER IT FOR MONTHS!
EH? OH, ER, A'RIGHT!

AWA' YE GO AND MEET THEM. I'LL SAW THE ITHER LEGS LEVEL.

BUT—
JINGS, I'VE TAKEN TOO MUCH AFF THAT LEG! I'LL HAE TAE CUT MAIR AFF THE OTHERS NOO!

ACH, NOW THIS LEG'S SHORT! I'LL HAE TAE TRIM THE OTHERS AGAIN!

AT LAST—
COOEE, PAW—IT'S US. WE'RE HERE!
JIST IN TIME! THANK GUIDNESS!

OH, ER, HELLO, FOLKS. I WIZ JIST SETTIN' THE TABLE FOR YOU, MAW. I GOT THE LEGS FIXED . . . MADE A BRAW JOB O' IT!
GRAND! PAW'S AFFY HANDY ABOOT THE HOOSE, MARY. HE LIKES A'THING TAE BE JIST RIGHT!

AYE, ONE THING I CANNA STAND IS A BAD JOB. I LIKE TAE DAE A' THE REPAIRS ABOOT THE HOOSE MASEL'!
LOOK OUT, PAW!

AHEM—!
SO! FIXED THE LEGS, DID YE? HMPH! NAE WONDER YE PIT THAT BIG TABLECLOTH ON!
BLUSH!
HO-HO—

*No wonder Maw Broon is distressed —*

*It seems that Joe has flown the nest!*

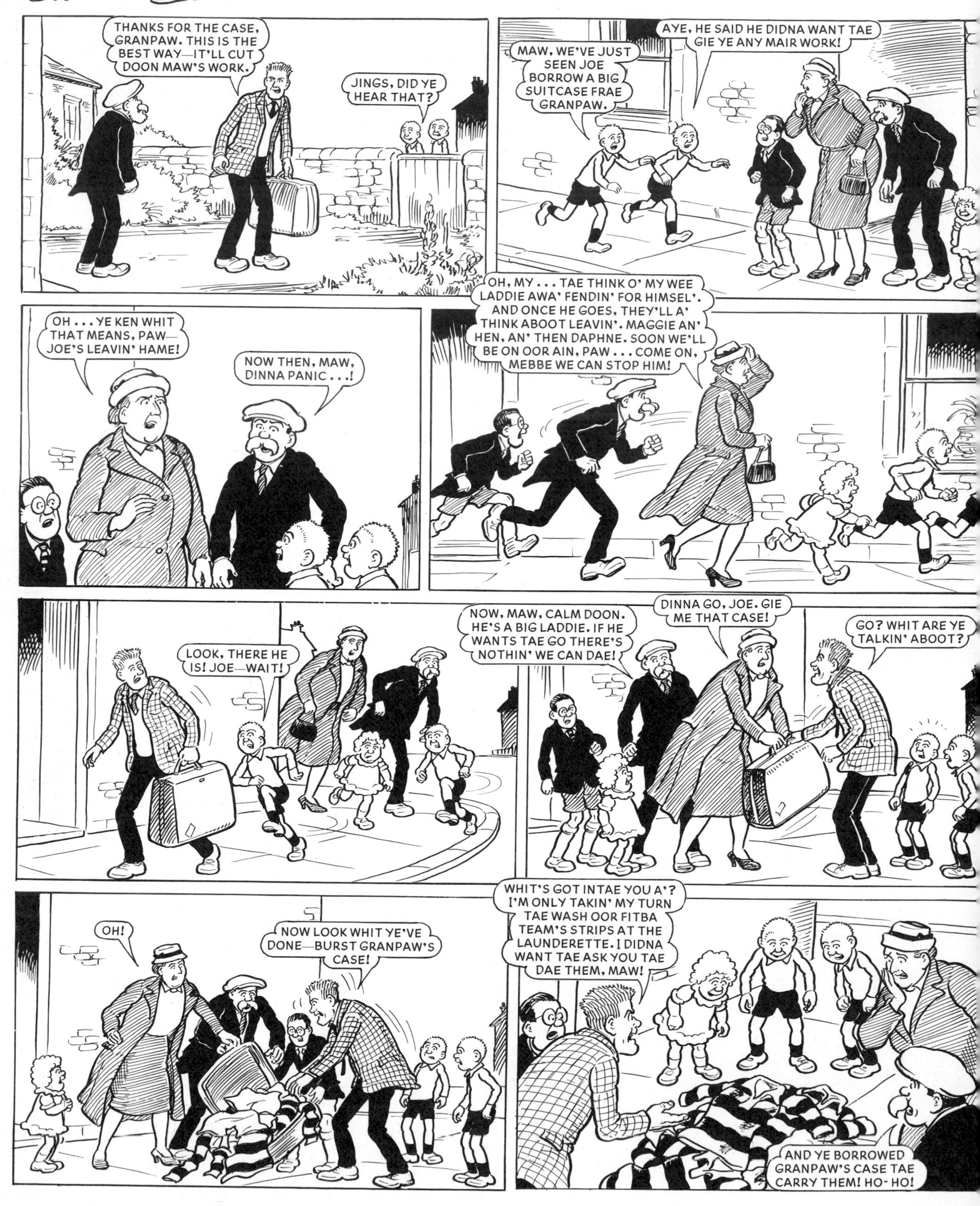

THANKS FOR THE CASE, GRANPAW. THIS IS THE BEST WAY—IT'LL CUT DOON MAW'S WORK.
JINGS, DID YE HEAR THAT?
MAW, WE'VE JUST SEEN JOE BORROW A BIG SUITCASE FRAE GRANPAW.
AYE, HE SAID HE DIDNA WANT TAE GIE YE ANY MAIR WORK!
OH . . . YE KEN WHIT THAT MEANS, PAW—JOE'S LEAVIN' HAME!
NOW THEN, MAW, DINNA PANIC . . .!
OH, MY . . . TAE THINK O' MY WEE LADDIE AWA' FENDIN' FOR HIMSEL'. AND ONCE HE GOES, THEY'LL A' THINK ABOOT LEAVIN'. MAGGIE AN' HEN, AN' THEN DAPHNE. SOON WE'LL BE ON OOR AIN, PAW . . . COME ON, MEBBE WE CAN STOP HIM!
LOOK, THERE HE IS! JOE—WAIT!
NOW, MAW, CALM DOON. HE'S A BIG LADDIE. IF HE WANTS TAE GO THERE'S NOTHIN' WE CAN DAE!
DINNA GO, JOE. GIE ME THAT CASE!
GO? WHIT ARE YE TALKIN' ABOOT?
OH!
NOW LOOK WHIT YE'VE DONE—BURST GRANPAW'S CASE!
WHIT'S GOT INTAE YOU A'? I'M ONLY TAKIN' MY TURN TAE WASH OOR FITBA TEAM'S STRIPS AT THE LAUNDERETTE. I DIDNA WANT TAE ASK YOU TAE DAE THEM, MAW!
AND YE BORROWED GRANPAW'S CASE TAE CARRY THEM! HO-HO!

*Here's the funniest turn-round yet —*

*You'll never guess who's soaking wet!*

WELL, I'LL GET AWA' HAME.
DID YE NO' BRING A COAT OR ANYTHIN' WI' YE? IT LOOKS AFFY LIKE RAIN.

ACH, A WEE DRAP O' WATER NEVER DID ONYBODY ONY HARM!
HMPH! YE'RE A STUBBORN AULD FOOL. YE WOULDNA GET US GOIN' OOT WITHOOT WEARIN' THE PROPER CLAES!

I KNEW IT—IT'S PELTIN' DOON!
QUICK—WE'LL CATCH HIM AFORE HE GETS DOON THE STAIRS! WHAUR'S THE BROLLY?

GRANPAW! WAIT! TAK' MY WATER-PROOF GOLFIN' BREEKS!
AND PIT ON MY AULD RAINCOAT!
AYE, AND THIS BROLLY!
WEAR MY SOU'WESTER!

THERE, THAT'S MAIR LIKE IT.
HUH! YE'RE JIST A LOT O' FUSS-POTS!

RIGHT, HEN, LET'S HAE YER KEY!
KEY? MY KEY'S IN MY JAICKET POCKET—IN THE HOOSE!
SO'S MINE!

NONE O' US HAE KEYS!
THERE'S ONLY ONE THING FOR IT—WE'LL HAE TAE GO OWER TAE GRANPAW'S . . .!

IT'S AN AFFY NICHT TAE BE OOT. YE'D THINK THEY'D BE PROPERLY DRESSED FOR THIS WEATHER!
DROOKIT!

FANCY GOIN' OOT IN WEATHER LIKE THAT—WITHOOT THE PROPER CLAES! I CANNA UNDERSTAND SOME FOWK!

*"New carpets?" gulps Paw. "Nothing doing!" —*

*But jings, there's real big trouble brewing!*

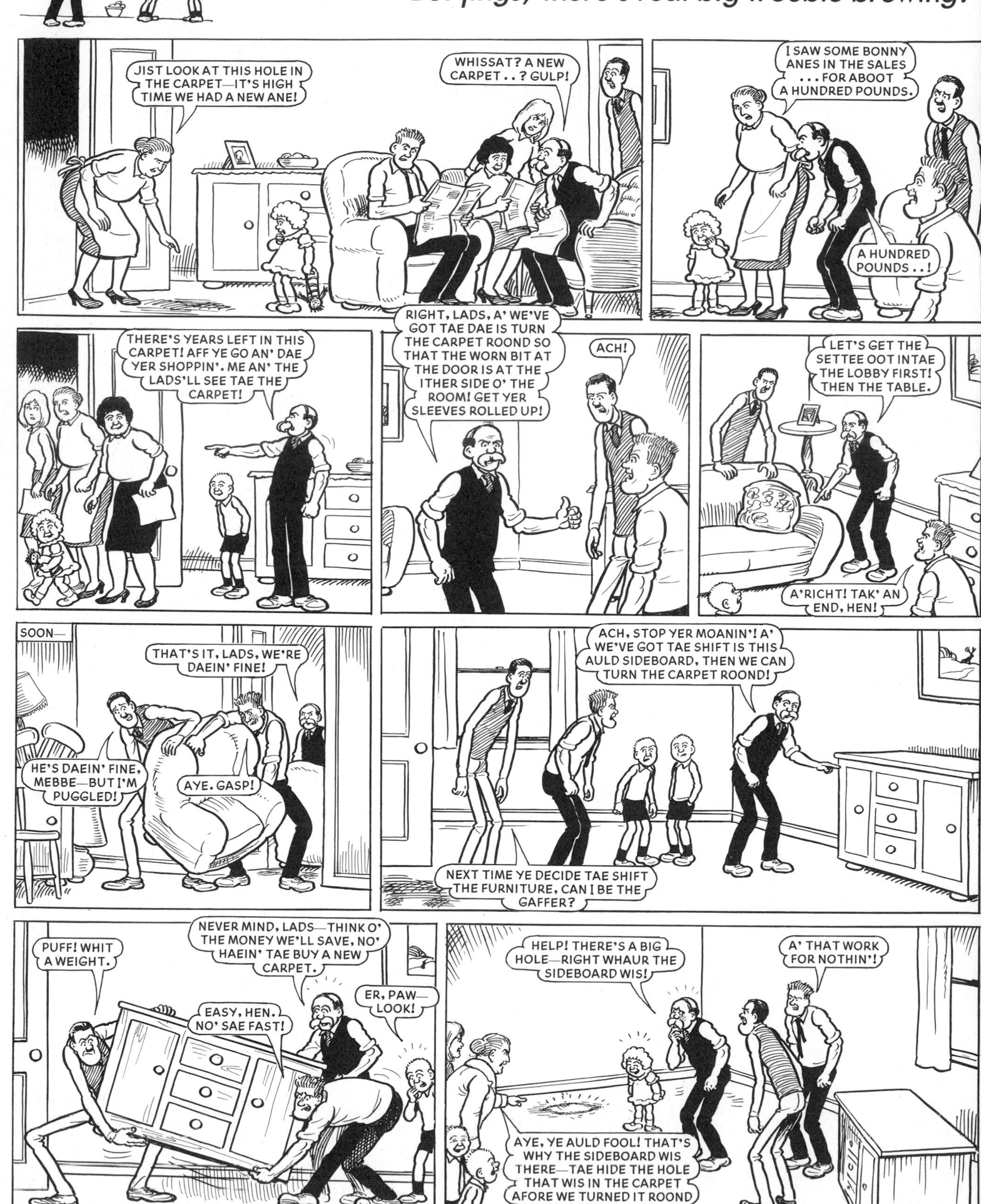

JIST LOOK AT THIS HOLE IN THE CARPET—IT'S HIGH TIME WE HAD A NEW ANE!
WHISSAT? A NEW CARPET . . ? GULP!
I SAW SOME BONNY ANES IN THE SALES . . . FOR ABOOT A HUNDRED POUNDS.
A HUNDRED POUNDS . . !
THERE'S YEARS LEFT IN THIS CARPET! AFF YE GO AN' DAE YER SHOPPIN'. ME AN' THE LADS'LL SEE TAE THE CARPET!
RIGHT, LADS, A' WE'VE GOT TAE DAE IS TURN THE CARPET ROOND SO THAT THE WORN BIT AT THE DOOR IS AT THE ITHER SIDE O' THE ROOM! GET YER SLEEVES ROLLED UP!
ACH!
LET'S GET THE SETTEE OOT INTAE THE LOBBY FIRST! THEN THE TABLE.
A'RICHT! TAK' AN END, HEN!
SOON—
THAT'S IT, LADS, WE'RE DAEIN' FINE!
HE'S DAEIN' FINE, MEBBE—BUT I'M PUGGLED!
AYE. GASP!
ACH, STOP YER MOANIN'! A' WE'VE GOT TAE SHIFT IS THIS AULD SIDEBOARD, THEN WE CAN TURN THE CARPET ROOND!
NEXT TIME YE DECIDE TAE SHIFT THE FURNITURE, CAN I BE THE GAFFER?
PUFF! WHIT A WEIGHT.
NEVER MIND, LADS—THINK O' THE MONEY WE'LL SAVE, NO' HAEIN' TAE BUY A NEW CARPET.
EASY, HEN. NO' SAE FAST!
ER, PAW—LOOK!
HELP! THERE'S A BIG HOLE—RIGHT WHAUR THE SIDEBOARD WIS!
A' THAT WORK FOR NOTHIN'!
AYE, YE AULD FOOL! THAT'S WHY THE SIDEBOARD WIS THERE—TAE HIDE THE HOLE THAT WIS IN THE CARPET AFORE WE TURNED IT ROOND TEN YEARS AGO!

*Nae wonder Paw Broon's affy grumpy —*

*Just see what makes his auld bed lumpy!*

OO! THIS BED'S GETTIN' AWFY LUMPY, MAW.

NAE WONDER—LOOK AT A' THE STUFF UNDER IT PUSHIN' THROUGH.

I SUPPOSE I'D BETTER CLEAR IT OOT.
THERE'S BEEN STUFF PILIN' UP UNDER THERE FOR YEARS.
YE'D BETTER WATCH OOT FOR DINOSAURS, PAW!

JINGS! HERE'S SOME COMICS FROM AFORE THE WAR.
THEY'LL BE WORTH A BOB OR TWA TO COLLECTORS.

HERE'S MY AULD BIKE.
THE MANNIE ROOND THE CORNER'S LOOKIN' FOR A BIKE —HE'D LIKELY GIE YE SOMETHING FOR IT.

MY AULD SUITS—I'D GET A BOB OR TWA FOR THEM!
JINGS, I CANNAE MIND BEING WEE ENOUGH TAE FIT THIS!

HERE, I'M GOIN' TAE MAK' A FORTUNE OOT O' THIS STUFF.
AYE! AN' I KEN WHIT YE CAN BUY WI' IT . . .

. . . A NEW BED—THAT STUFF WAS ALL THAT WAS HOLDIN' OOR AULD ANE UP.

*Creepy-crawlies plague the hoose —*

*When the twins are on the loose!*

WHISPER... WHISPER.
HO-HO!
WHIT ARE THAE TWA IMPS UP TAE?

EEK! A SPIDER!

YE WEE SCALLYWAGS! DINNA YE EVER DAE THAT AGAIN!
OCH, WHAUR'S YER SENSE O' HUMOUR, MAW? BESIDES, A WEE SPIDER NEVER HURT ONYBODY!
SORRY, MAW. IT WIS JIST A TOY SPIDER!

HERE'S DAPHNE!
HMPH!
THE WEE RASCALS ARE JIST LIKE ME WHEN I WAS A LADDIE! AN' BY THE LOOK ON THEIR FACES, THEY'VE GOT ANITHER O' THAE TOY BEASTIES HIDDEN SOMEWHERE!

I'LL JIST HAE A WEE CHOCOLATE AFORE TEATIME!
TITTER!
CHUCKLE!
AYE-AYE! THERE'S SOMETHING FISHY GOIN' ON HERE!

AARGH! A HAIRY BEASTIE!

THEN—
ALL RIGHT! OWN UP! WHO PUT THIS TOY SPIDER IN MY MAKE-UP BOX?
ACH, CALM DOON. IT WIS JIST THE TWINS' WEE JOKE.
ANYWAY, SPIDERS ARE NOTHIN' TAE BE FEARED O'!

YOU BOTH NEED A GOOD HIDIN'!
AYE, MY CHOCOLATES ARE RUINED.
AW.
YE'RE A' MAKIN' AN AFFY FUSS ABOOT NOTHIN'. LOOK, HERE'S ANITHER O' THEM...

FANCY GETTIN' A' WORKED UP ABOOT A TOY SPIDER...
!
...HELP! IT MOVED. THIS IS A REAL ANE! I CANNA STAND CREEPY CRAWLIES!

YE AULD FOOL... SCARED O' A WEE SPIDER!
FAINT!!
WHA'S THE BIG BRAVE MAN NOW?
HO-HO!

*The Bairn's fly, the Bairn's slick —*

*Just see her disappearing trick!*

KEEP
FIT
CLASS

TCH! THERE'S NOTHIN' ON THE TELLY. LET'S GO OOT FOR A CHANGE.
AYE, GUID IDEA!
OOT? WHIT'S WRANG WI' ORGANISIN' OOR AIN ENTERTAINMENT?

I'LL DAE MY MAGICIAN'S ACT. I USED TAE BE A DAB HAND AT MAKIN' THINGS DISAPPEAR.
OH, NO, NO' AGAIN!

I'LL START WI' A CARD TRICK, THEN I'LL MAK' YOUR FURRY BUNNY DISAPPEAR, BAIRN.
WILL YE REALLY, PAW?

ME CAN DAE A MAGIC TRICK, TOO. ME KEN HOW TAE MAK' A'BODY DISAPPEAR!
OH, AYE . . . IT'S NO' EASY, BAIRN. YE NEED TAE KEN THE MAGIC WORDS.

BEFORE I AMAZE YE A', THE BAIRN WANTS TAE TRY HER MAGIC ON YE FIRST. SHE SAYS SHE'S GOIN' TAE MAK' YE A' DISAPPEAR.
ME KEN THE MAGIC WORDS.

ARE YE READY, A'BODY? WELL, THERE'S A BRAW CARTOON FILM ON AT THE PICTER HOOSE—WE'RE A' GOIN' . . .

. . . AND THE LAST THERE PAYS!
CHARGE!
EH?

YE SEE, I TELT YE I COULD MAK' THEM A' DISAPPEAR. IT'S EASY!

TODAY.
Q HERE.
HO-HO! THAT'S THE BEST TRICK I'VE SEEN.
THAT BAIRN! SHE COULD TEACH US A' A TRICK OR TWO!
YE CAN SAY THAT AGAIN!

LOW
BRIDGE
7' 6"

*Oh, jings, this winna dae at a' —*

*Granpaw's fadin' right awa'*

HELLO, MRS BROON. DID YE KEN AULD GRANPAW BROON HAS LOST TWA STONES? I HEARD HIM TELLING JOE SIMPSON.

YON MRS MURRAY—WHIT A NOSEY AULD BESOM! STILL, IT'S NO' RIGHT FOR GRANPAW TAE LOSE WEIGHT LIKE THAT.

HE'LL BE AWA' TAE A SHADOW IF HE DISNAE WATCH OOT! AN' HIS CLAES WINNA FIT, EITHER!

I'VE JIST BEEN HEARIN'— GRANPAW'S LOST TWA STONES IN WEIGHT!
I WISH I COULD!
MEBBE HE'S NO' ABLE TAE BUY ENOUGH FOOD!
PUIR AULD SOWEL!

WE'D BETTER TAK' SOME FOOD OWER TAE HIM.
AYE, WE CANNA HAE HIM WASTIN' AWA'!

AND SO—
WE'VE A RARE BOX O' GROCERIES HERE!
I MADE HIM SOME STOVIES.
ME'S GOT A BIG BOX O' JEELY BABIES!
AYE, AND JOE AN' ME HAVE BOUGHT HIM SOME OAT-CAKES.

HELLO, GRANPAW— WE'VE BROUGHT YOU SOME GRUB!
THAT'S REAL GUID O' YE!

WAIT A MEENIT—YE DINNA LOOK ANY THINNER TAE ME!
AYE, WE HEARD YE'D LOST TWA STONES!
OH, AYE, THAT'S RIGHT. IN FACT, HERE THEY ARE, COMIN' IN THE GATE!

HERE'S YER NEW CURLIN' STONES, MR BROON. SORRY ABOOT LOSIN' THEM. THEY WERE PIT AFF THE LORRY AT AUCHENSHOOGLE BY MISTAKE!
EXPRESS DELIVERY
TA!
HO-HO! SO THAT'S THE STONES HE LOST!

# *When it comes tae the weather —*

# *Guess wha's an auld blether!*

IT'S A BRAW NICHT. LET'S A' GO DOON TAE THE BOOLIN' CLUB.
HUH! I SMELL RAIN!
AWA'! THERE'S NO' A CLOUD IN THE SKY!

THAT'S THE TROUBLE WI' YOU YOUNG LOT—WINNA LISTEN TAE YER BETTERS! IF I SAY IT'S GOIN' TAE RAIN, IT'S GOIN' TAE RAIN!

THERE! LOOK! WHIT DID I TELL YE? IT'S POURIN' DOON!
AW!
SHAME!

WHEN THE WEST WIND DOTH BLAW, RAIN'S NO' FAR AWA' . . . I LEARNED THAT RHYME ON MY MITHER'S KNEE.
FED UP!
GLOWER!

WHEN YER BUNION'S SAIR, IT WINNA STAY FAIR . . . THAT'S ANITHER AULD SAYIN'!
I WISH HE'D GIE HIS TONGUE A REST!

WELL, I'VE GOT ANITHER SAYIN' FOR YE, LADS!
THAT'S IT, MAW— YOU TELL THEM!

WHEN IT COMES TAE THE WEATHER, YER PAW'S AN AULD BLETHER! IT'S LIKE THIS EVERY MONDAY, LADS . . .
EH?

. . . BECAUSE THIS IS THE NICHT MRS MILLAR UPSTAIRS WASHES HER LADDIE'S FITBA' TEAM'S STRIPS!

WELL, YE KEN THE AULD SAYIN', HEN—WHEN THE WASHIN'S ON THE LINE, THE WEATHER'S FINE! COME ON!
BLUSH!

## *See Charlie Black! Jings, whit a sight —*

## *He's high up in his job, a'right*

LOOK! THERE'S MRS BLACK— HER THAT USED TAE BIDE AT NUMBER EIGHT. SHE MOVED AWA' TWA YEARS AGO, WHEN HER MAN GOT A JOB DOON IN ENGLAND.
MRS BLACK! HOW ARE YE?
OH, DOING WELL. MY HUSBAND WAS WORKING IN THE AREA SO I THOUGHT I'D COME BACK TO SEE IF ANYTHING HAD CHANGED.
ER . . . WHIT DOES YER HUSBAND WORK AT?
CHARLES? OH, HE'S IN ADVERTISING, YOU KNOW. HE'S—ER— VERY HIGH UP IN THE BUSINESS.
WELL, I MUST FLY— MEETING CHARLES FOR LUNCH.
CHEERIO THEN. IT'S BEEN NICE SEEIN' YE AGAIN.
ADVERTISING, EH? LOT O' MONEY TAE BE MADE IN THAT GEMME!
AYE, THEY MUST BE ROLLIN' IN CASH NOW.
SIGH!
AND SHE SAYS HE'S VERY HIGH UP IN THE BUSINESS.
LATER—
HI, BROONS! HOW ARE YE A'?
EH? IT'S CHARLIE BLACK!
SAY HELLO, DEAR! YOU REMEMBER THE BROONS?
ER . . . YES!
AUSTRALIA
HONG KONG
GLASGOW
LONDON
HO-HO! IN ADVERTISING, EH?
AYE, HE'S CERTAINLY VERY HIGH UP!
HA-HA-HA!

*Paw Broon's up tae his schemes again —*

*See the phantom dug o' No. 10!*

I'LL BUY ANE O' THAE BRUSHES.
WE COULD DAE WI' SOME NEW DUSTERS AS WELL. AND ANE O' THAE THINGS FOR CLEANIN' THE BLINDS.
HMPH!

YOU TWA ARE OWER SAFT— YE JIST CANNA TURN A SALESMAN AWA'!
BUT HE WIS SUCH A NICE MAN, PAW.

WELL, I'LL DEAL WI' THE NEXT SALESMAN! HORACE, LEND ME THAT WEE TAPE RECORDER!

COME ON, TOWSER— LET'S HEAR YE GIE A GUID LOUD GROWL!
GRRR!

THERE—MY "DUG" WILL SEE AFF THE NEXT SALESMAN!
GUID IDEA, PAW!

LATER—
SOMEBODY AT THE DOOR—IT'LL BE THAT SALESMAN I SAW COMIN' DOON THE STREET.
RAT-TAT-TAT!
NOW'S MY CHANCE! WHAUR'S THAT TAPE RECORDER?

AH, SIR, CAN I INTEREST YOU IN . . ?
HAUD ON! MIND MY DUG— HE'S NO' THAT KEEN ON STRANGERS . . !
GRR-WRUFF!

SOON—
JINGS, THAT WIS QUICK! YOU CERTAINLY GOT RID O' HIM!
YER DUG IDEA MUST HAVE WORKED!
ER—WELL—

LOOK! HE SOLD PAW A COLLAR AND A LEAD FOR IT!
OH, AYE, THE MANNIE THOUGHT WE HAD A DUG A'RIGHT . . .

*Paw's got the family in a tizz —*

*It seems he's in a telly quiz!*

PAW WILL BE IN FOR HIS TEA SOON, BAIRN. YE CAN HELP ME SET THE TABLE.

HERE, LOOK AT THIS BOOK I FOUND AHENT THE CUSHION ON PAW'S CHAIR. 'MEMORY TRAINING'.
MEMORY TRAINING
WHIT ON EARTH'S HE WANTIN' TAE READ THAT FOR?

HE'S AFFY KEEN ON THAT TELLY QUIZ WHAUR YE SIT ON A CHAIR AND ANSWER QUESTIONS. MEBBE HE'S THINKIN' O' ENTERIN'...
WHO WROTE BEETHOVEN'S FOURTH SYMPHONY?
PASS.

AWA'! YE KEN FINE HE NEVER MISSES THON TELLY QUIZ WHAUR THE WINNER TAK'S HAME A' THE PRIZES HE CAN REMEMBER WERE ON SHOW... THAT'LL BE WHIT HE'S ENTERIN'!

NOW, SIR, YOU HAVE THIRTY SECONDS TO LIST THE PRIZES YOU SAW...
ER, TWA WALLY DUGS, ANE O' THAE ELECTRIC THINGUMMYJIGS, A TRIPEWRITER...

JUST THEN—
SO THERE YOU ARE! COME ON, THEN, OWN UP—WHIT ARE YE UP TAE? WE FOUND YER BOOK ON MEMORY TRAINING.
OH, ER, WELL, I WIZ JUST ABOOT TAE TRY IT OOT. YE CAN COME WI' ME, IF YE LIKE.

FANCY NO' TELLIN' YER AIN FAMILY YE WERE ENTERIN' AIN O' THAE TELLY QUIZ SHOWS...
QUIZ SHOWS? WHIT ARE YE BLETHERIN' ABOOT? I'M GOIN' IN HERE!

READY, TONI? I WANT A FISH SUPPER WITHOOT VINEGAR FOR DAPHNE, TWA FISHCAKES FOR THE BAIRN, A WHITE PUDDIN' SUPPER WI' SAFT BATTER FOR HEN, A PIE SUPPER WI' PLENTY SAUCE FOR JOE, CHICKEN CUTLETS WI' NAE CHIPS FOR MAGGIE, AN' A...
JINGS, SO THAT'S WHIT HE WIZ MEMORISING!
AYE, HE'S AYE COMPLAININ' ABOOT ITHER FOLK GETTIN' THE FAMILY ORDER A' MIXED UP!

*Oh, whit a shock —*

*From this grandfather clock!*

BACCY
SPLUTTER
TEA

OH, IT'S YOU, MEENISTER— WHAT'S THAT YOU'RE SAYING?

CAN YOU LOT NO' MAK' LESS NOISE? THE MEENISTER'S ON THE PHONE.

AYE—YES—IT'S A BAD LINE—AYE, AH'VE GOT THAT . . .

THAT WIS THE MEENISTER—HE WIZ ON ABOOT A RAFFLE—WE'VE WON A GRANDFATHER CLOCK! HE WANTS US TAE GO DOON TAE THE MANSE TAE COLLECT IT.
JINGS! IT'LL LOOK BRAW IN THE LOBBY.

WE'LL NEED SOMETHING TAE CARRY IT ON—
HOW ABOOT MY AULD PRAM?
NAH—I'LL GET ALEC WATSON'S BARROW.

AND SO—
I'VE AYE WANTED A GRANDFATHER CLOCK!
WE'LL TAK' THIS IN CASE IT'S A VERY LONG CLOCK.

AH, MR BROWN—YOU'VE COME TO COLLECT THE CLOCK. I'LL JUST GO AND GET IT.
YE MUST BE AWFY STRONG.
DAE YE NO' NEED A HAND?

BUT—
WELL, YOU LOT WERE MAKIN' SO MUCH NOISE. HOW DID AH KNOW THE MEENISTER WAS SAYING 'YOUR GRANDFATHER'S CLOCK'?
ACH, IT'S HIGH TIME THAT GRANDPA GOT A PHONE O' HIS AIN!

*Twa Broon twins, a' spick an' span —*

*Fairly spoil the lassies' plan.*

HAVE OOR TEA READY EARLY, MAW— WE'RE GOIN' TAE THE CARNIVAL WI' THE TWINS TONIGHT!
YES, WE DON'T WANT TO WASTE PRECIOUS TIME!
THEY'RE AN AFFY PAIR O' LADDIES. I SUPPOSE THEY'LL WANT TO GO ON THE DODGEMS.
YES, AND THE CHAIR-O-PLANES . . .
THAT EVENING—
HURRY UP—WE'RE A' READY TAE GO TAE THE CARNIVAL!
AYE, WE'VE HAD OOR NECKS WASHED . . !
BUT YOU'RE NOT COMING WITH US!
BUT YOU SAID SO!
AYE, I HEARD YE SAY IT!
IT WIS THE GRANT TWINS WE MEANT—HAMISH AN' SANDY. THEY ASKED US TAE GO WI' THEM!
AW . . .
WELL, YE CANNA DISAPPOINT OOR TWINS NOO—YE'LL JIST HAE TAE TAK' THEM WI' YE!
AYE, SPESHALLY SINCE THEY HAD THEIR NECKS WASHED!
AND SO—
JINGS, THIS IS GREAT, MAGGIE!
WHEN WE'RE FINISHED WI' THIS, CAN WE A' GO ON THE BIG DIPPER?

*A wrestlin' match —*

*But there's a catch!*

WRESTLING ACADEMY
BIG TAM. TUTOR.
THANKS FOR THE TIPS, TAM—I'LL MAK' AULD SANDY SIMPSON LAUGH ON THE OTHER SIDE O' HIS FACE THIS EFTERNOON!

A' THE BEST, GRAN'PAW!
WELL, WE'LL SOON SEE WHA'S BEST AT THIS CAPER! I'M MEETIN' HIM IN THE PARK AT TWA O'CLOCK!
TAM THE TERRIBLE
JINGS, DID YE HEAR THAT?

AND SO—
AYE, A WRESTLIN' MATCH BETWEEN HIM AND SANDY SIMPSON!
HELP M'BOAB! THESE TWA ARE AYE ARGY-BARGYIN' ABOOT SOMETHIN'!

TWA O'CLOCK, EH? I HOPE WE'RE NO' TOO LATE!

HELP!
HO-HO! THAT'LL TEACH YE TAE LAUGH AT ME YESTERDAY!
THAT'S GRAN'PAW'S VOICE!
LET'S SEE YE GET OOT O' THAT!

GRAN'PAW BROON! STOP THIS WRESTLIN' CAPER AT ONCE, AFORE YE DAE YERSEL' AN INJURY!

WRESTLIN'? WHA'S WRESTLIN'? IT'S AULD SIMPSON THAT'S WRESTLIN' WI' HIS DECKCHAIR. HE LAUGHED WHEN I GOT STUCK WI' MY CHAIR YESTERDAY, BUT TAM McKAY SHOWED ME HOW TAE GET OOT O' ITS GRIP— AND NOW IT'S MY TURN TAE LAUGH AT SANDY!

## *When Tam McDrum pays them a visit —*

## *It's a real black day. . . or is it?*

HERE'S MR McDRUM, PAW.
HELLO, BROON. MAH WIFE IS OOT SHOPPING WI' YOURS AND AH'VE TAE MEET THEM HERE.
OCH! AH CANNA STAUND THIS MAN!
WID YE LIKE A CUP O' TEA, McDRUM?
DINNA LET ME STOP YOUR . . . ER . . . WORK, BROON. CHUCKLE! YE'LL BE WANTIN' TAE GET ON WI' YER DUSTIN' AND SWEEPIN', NEXT.

HELLO, HORACE. CHUCKLE! IS THIS YOU HELPING YER FAITHER WI' HIS HOOSEWORK?
MUTTER . . . MUTTER . . .

I'LL TAKE THESE PLATES, HORACE!
YOU'RE OWER SOFT, BROON. YOU'D NEVER FIND ME SOILIN' MAH HANDS DAEIN' WIMMEN'S WORK.
HMPH!

MIGHTY ME! HERE'S ANOTHER PAIR O' MITHER'S LITTLE HELPERS.
EH? WHA'S THIS?

LEAVE THE LADS ALONE! WE A' DAE OOR BIT IN THIS HOOSE.
IS THAT SO? HO! HO! YE WIDNAE CATCH ME DAEIN' THE WIMMEN'S WORK!

HERE'S MAH WIFE, BROON. WE'LL BE AFF FOR OOR TEA.
GUID RIDDANCE!
NOT JIST YET, TAM. AH'VE GOT SOMETHING FUR YE.

I THOUGHT I'D GIE YE A TREAT.
HUH!

THERE! YE'VE BEEN NEEDIN' A NEW PEENY. YER AULD WAN HAS HOLES IN IT!
ULP!
HELP MAH BOAB! HE WEARS AN APRON ABOOT THE HOOSE!
EFTER A' HIS TALK!

*Trouble isn't long in comin' —*

*When Paw decides tae tak' up plumbin'!*

I'M AWA' THE MESSAGES, AND WHILE I'M OOT I'LL GET THE PLUMBER TAE COME UP AND FIX THAT LEAKY SINK TAP. THERE'S AYE WATER DRIPPIN'.

WHIT? A PLUMBER? AWA'! HE'LL COST A FORTUNE, AND MEBBE FLOOD THE PLACE OOT FORBY. LEAVE IT TAE US!

LATER—
HURRY UP. I NEED TAE WASH MY HAIR AFORE I CAN GO OOT!
YE'LL JIST HAE TAE WAIT. I'M MENDIN' THE TAP, AND THE WATER'S TURNED AFF.

LEAVE IT TAE US. WE'LL RIG UP A HOSE FRAE THE WASH-HOOSE.
THAT'S THE TICKET, LADS.

RIGHT, TURN ON THE TAP WHEN I GIE YE A SHOUT FRAE THE KITCHEN WINDIE.

UPSTAIRS—
GRAND! NOW I'LL SHOUT DOON TAE GET THE WATER TURNED AFF.
THANKS, HORACE!

TURN IT AFF!
JINGS, THE WIND'S SLAMMED THE DOOR SHUT—AND WE DINNA HAE THE KEY!

I WONDER HOW PAW'S GETTIN' ON WI' THAT TAP? IT'LL BE A CHANGE NO' TAE HAE WATER DRIPPIN' A' DAY!

OH, ER, HELLO, MAW . . . I CAN EXPLAIN A'THIN'!

*A cartie zooms along the street —*

*And guess wha's in the drivin' seat!*

JINGS, I'M LATE FOR MY BOOLIN' MATCH!

LOOK OOT, PAW!
AARGH!
MIND OOR CAIRTIE!

THAT THING'S DANGEROUS! YE WOULDNA CATCH ME IN ANE O' THEM. BESIDES, MAW WID BE FURIOUS IF SHE SAW YE FLEEIN' ABOOT LIKE A COUPLE O' WEE WILDIES!

THEN—
TCH! HOW COMMON!
AYE! AWA' AN' PLAY SOMEWHERE ELSE. YE'RE A DISGRACE TAE THE FAMILY. YE'D THINK YER MITHER HADNAE BRUNG YE UP PROPER!

COME ON, LET'S GO DOON THE STREET TAE PLAY.
AYE, AWA' FRAE A' THAE SNOBS!

LOOK, THERE'S MAW!
WE'D BETTER GO AN' GIE HER A HAND!

LATER—
LOOK!
MICHTY!
AH'VE SEEN A'THIN', NOO!

WELL!
JINGS!
OH, ER, HULLO! I'M IN A HURRY TAE GET THE TATTIES ON! MA SHOPPIN' TROLLEY BROKE, SO THE TWINS LENT ME THEIR CAIRTIE TAE GET THE GROCERIES HAME!

*Puir Paw Broon! It seems he's fated —*

*See how he ends up deflated!*

CAN WE HAE SOME MONEY TAE BUY ICE LOLLIES, PAW?
ME WANT A CHOCCY ICE!
ICE

WHIT—AND HAE YE DRAP THE WRAPPIN' PAPER A' OWER THE PLACE? NAE FEARS! I WOULDNAE ENCOURAGE IT! BESIDES, LOOK WHIT IT MICHT COST ME!
DEPOSIT NO LITTER £50 FINE
AW!
AULD MEANIE!

AWA'! YE JIST DINNA WANT TAE SPEND YER MONEY!
GO ON, GET YER WALLET OOT!
AYE, AND MIND THE MOTHS DINNA ESCAPE!
HMPH! A'RIGHT!

HELP! THE WIND'S AWA' WI' MY POUND NOTE!

QUICK! GIE'S THAT SPIKE, MISTER!

COME BACK! STOP!

IT'S LANDED! NOW'S MY CHANCE!

BUT—
OH, JINGS!
MY AIR BED!

THAT'LL COST YE FIVE QUID! PAY UP!
HO-HO! SERVES THE AULD MEANIE RICHT!

*There's a moose loose —*

*In the Broons' hoose!*

WHIT'S THAT SQUEAKING? IS SOMEBODY WEARIN' NEW SHOES?
NO, NOT ME!
ME NEITHER!
SQUEAK!
SQUEAK!
SQUEAK!

THEN—
SHRIEK! IT'S A MOOSE!
A MOOSE? HELP!

QUICK! BELT IT ANE!
EFTER IT!
SQUEAK!
SQUEAK!

ACH, IT'S RUN UNDER THE SIDEBOARD!
IT'LL TAK' US AGES TAE LIFT THAT THING!

WHIT WE NEED IS A CAT!
AYE, THAT'S AN IDEA!

I'LL GO AN' BORROW THE NEEBOURS' CAT!
HMPH! THON WEE KITTEN'S NO' NEARLY BIG ENOUGH!
PUIR WEE MOOSE!

THAT'LL BE HEN BACK WI' THAT DAFT WEE KITTEN
KNOCK! KNOCK!

I'M TELLING YE, HEN, THAT WEE CAT—AARGH!

SORRY TAE GIE YE A SCARE, PAW—I'VE GOT THE PART O' DICK WHITTINGTON'S CAT IN THE SCHOOL PANTO, AND THIS IS MY OUTFIT!
HO-HO!

*Roses are red, violets are blue —*

*For a bloomin' surprise, see you-know-who!*

WHIT DAE YE THINK O' THE NEW HAIRSTYLE, MAW? CECIL, THE HAIRDRESSER, SAYS IT CHANGES MY PERSONALITY!
HMMM, ER, AYE.

JUST THEN—
WELL, MY WEE PET, DID YE HAE A NICE WALK WI' GRANPAW?
AYE, WE WENT TAE GET AN ENTRY FORM FOR DAPH. GRANPAW SAYS HE'S ENTERIN' HER FOR THE CONTEST IN THE TOON HALL ON SATURDAY.
JINGS, HE MUST HAVE HEARD ABOOT THE NEW ME! ARE YE SURE, BAIRN?

OH, AYE, I HEARD HIM SAY TAE AULD PETE MACKAY THAT HIS DAPH WOULD WALK AWA' WI' FIRST PRIZE. AND HE SAYS WE'VE A' TAE GO ALONG ON SATURDAY MORNING.

I'VE AYE FANCIED MYSEL' AS A MODEL!

SATURDAY MORNING.
GET A MOVE ON, DAPH. YE'VE BEEN IN THERE FOR HOURS!
WHEESHT! WE MODELS CANNA RUSH OOR MAKE-UP.

WELL, HOW DAE I LOOK?
OH—ER— SMASHIN'!
WHIT A SIGHT!

LOOK, THERE'S GRANPAW AT THE HALL!
WOBBLE!

HELLO, GRANPAW. IT WAS GOOD O' YE ENTERIN' OOR DAPH FOR THE COMPETITION.
EH?

DAPH? HO-HO! IT WAS THIS DAFF I'M ENTERIN' FOR THE SPRING BULB SHOW. IT'S THE BIGGEST I'VE EVER GROWN!

*Who bought this card? Hen? Horace? Joe? —*

*Maw Broon would dearly love to know!*

IT'S A GUID IDEA TAE GET THE LADDIES' ROOM SPRING-CLEANED WHEN THEY'RE OOT, BAIRN . . . OH, WHAT'S THIS IN THE DRAWER?

A VALENTINE CARD . . . ' TO THE MOST WONDERFUL GIRL IN THE WORLD '!
MY VALENTINE

ONE O' THEM MUST HAVE A LASS . . . AND HE NEVER TOLD ME . . . HIS AIN MOTHER! WELL, I'M NO' ASKIN' HIM! I'LL JUST PUT IT BACK IN THE DRAWER.
MEN! HMPH!

THAT NIGHT—
NAE TEA FOR ME, MA. I'VE GOT TAE RUSH!
SO IT'S HIM—AWA' TAE MEET A LASSIE!
AYE GALLIVANTIN', THAT'S YOU! NEVER GIE A THOUGHT TAE YER AULD MOTHER!

GALLIVANTIN'? IT'S A DARTS COMMITTEE MEETIN' I'M AWA' TAE.
OH, ER, SORRY, HEN.
MEN! MEBBE IT'S HORACE!

SORRY I'M LATE.
IT MUST BE JOE, MEETIN' A LASSIE AFTER WORK!
HMPH! I SUPPOSE YER AIN MOTHER'S COOKIN'S NO' GOOD ENOUGH FOR YOU!

WHAT ARE YE ON ABOOT? I'M LATE FOR MY TEA BECAUSE I WIZ WORKIN' OVERTIME!
OH!
MEBBE IT'S AIN O' THAE LADS.

NEXT MORNING—
POSTIE'S BEEN. THERE'S A LETTER FOR MRS BROON. HERE YE ARE, MAW.
A LETTER? FOR ME?

IT'S THAT VALENTINE CARD!

TAE ME . . . FROM PAW!
TO THE MOST WONDERFUL GIRL IN THE WORLD from PAW.

HO-HO!
YE WEE DARLING!
BLUSH!
MY VALENTINE

HA-HA!

"Act yer age!" says Granpaw Broon —

But then just see him change his tune!

OH, MY POOR ACHIN' BACK. YE WIDNAE BELIEVE THE AGONY I'M IN, DAPHNE.
JUST YOU REST HERE A WEE WHILE, PAW.

HELLO, GRANPAW. PAW PUT OUT HIS BACK AT THE BOWLING CLUB.
RIGHT IN THE MIDDLE O' AN IMPORTANT MATCH, TAE. WHIT A SCUNNER!
SILLY AULD FOOL! IT'S TIME YOU STARTED TAKIN' THINGS EASY, LIKE ME.

IN THE NAME . . ! WID YE TAK' A LOOK AT OOR JOE! WHIT HAPPENED TO YOU, LADDIE?

I WAS SPARRING WI' A LAD DOON AT THE OPEN AIR GYM. MAN, YOU SHOULD HAVE SEEN HIM MOVE! LIKE GREASED LIGHTNING HE WAS.
THAT'S A REAL SHAME, SON.

HIGH TIME JOE STOPPED ACTING LIKE HE WAS STILL A TEENAGER!
POMPOUS AULD WIND BAG!

YE REALLY A' SHOULD TAK' A LEAF OOT O' MY BOOK. YE NEVER SEE ME OVER- TAXING MYSELF, DO YOU? THAT'S 'CAUSE I KEN HOW FAR I CAN GO.
LEAVE THE LADDIE ALANE! HE'S SUFFERED ENOUGH.
JUST THEN—
AND HERE'S ANITHER ANE THAT SHOULD KEN BETTER! FANCY PLAYING WITH A BAIRN'S BALL AT YOUR AGE, HEN.
BUT, AH'M NO' . . .
AH'LL PIT THIS WELL OOT O' HARM'S WAY, AFORE YE DO YERSEL' A MISCHIEF AS WELL.
I WIDNAE DAE THAT, GRANPAW, IF AH WIS YOU.

YE SEE, THAT WISNAE MY BALL. IT BELONGS TO ATTILA, HERE, AND HE'S AWFY FUSSY ABOUT WHO TOUCHES IT.
THAT'S GRUMBLER GRANT'S WATCHDOG.
AND I'VE GOT HIS BALL IN MY POCKET!
SLOW DOON, GRANPAW! REMEMBER, YE'RE NO' AS YOUNG AS YOU WERE!
AYE! THAT RUNNING LARK'S NO' FOR AULD CODGERS LIKE YOU.
THINKIN' YE'RE A TEENAGER, ARE YE, GRANPAW? HAW, HAW!
NICE DOGGIE! HELP, CALL HIM OFF, SOMEBODY!

*Whoever heard o' a banana diet? —*

*There's fun when Daph decides tae try it!*

THERE YE ARE, DAPHNE. IT'S YER FAVOURITE— SAUSAGE, BEANS AND CHIPS.
NONE FOR ME, MAW. I'M GOIN' ON A BANANA DIET.

ACH! THAT'LL NO' MAK' YE THIN—YE'LL JUST END UP LOOKIN' LIKE A MONKEY!

WE'D BETTER PUT STRONGER SCREWS IN THE LIGHT FITTING, PAW, IF DAPHNE'S GOIN' TAE BE SWINGIN' FRAE IT!

NEXT DAY—
LOOK AT THAT, JOE! NAE PRIZES FOR GUESSIN' WHAT DAPHNE'S BEEN UP TAE!
COSTUME HIRE
AYE—HIRIN' A MONKEY COSTUME TAE FOOL US!

THAT NIGHT—
THERE YE ARE, PAW—JIST WHIT WE TELT YE—DAPHNE IN A MONKEY SUIT TRYIN' TAE SCARE US!
SSH! LET'S HAE A LAUGH . . .

WINK!
WINK!
GIE HER A BANANA, JOE—SHE'S NEEDIN' FEEDIN' UP . . .
AYE, AND I'VE NEVER SEEN SUCH A MANGY-LOOKING COAT—SHE'S MAIR LIKE A HALF-DEID RABBIT!

BUT THEN—
MANGY COAT? RABBIT? HOW DARE YOU! I'VE NEVER BEEN SO INSULTED IN ALL MY LIFE!
GULP! IT'S NO' DAPHNE—IT'S MRS McTARTER FRAE DOON THE STREET!

I'M LEAVING!
GLARE!
HELLO, FOLKS—WHIT DAE YE THINK O' MY COSTUME FOR THE OFFICE FANCY DRESS PARTY . . . OH . . .

*Paw auld-fashioned? Not a chance! —*

*He's hot stuff at this disco dance!*

THAT'S BRAW MUSIC, MAGGIE. LET'S PRACTISE FOR THE BIG DISCO DANCE ON SATURDAY!
ME LIKE DANCIN'.

HELP M'BOAB! WHIT'S GOIN' ON HERE?
WE'RE DISCO DANCIN', PAW!

OCH, THE WHOLE HOOSE IS SHAKIN'!

YE'LL HAVE THE NEIGHBOURS COMPLAININ' NEXT!
DINNA FUSS, PAW! YE WERE YOUNG YERSELF, ONCE!

DANCIN', EH? GREAT. COME ON, HEN!
HI, JOE. HI, HEN!

LIKE MY STYLE, DAPH?
HEY, THERE'S PAW GETTIN' UP, TOO.

OOH! AH! OOH!
JINGS, WID YE LOOK AT THAT?
HE'S A BETTER DISCO DANCER THAN ANY O' US!

PAW! YE'LL DAE YERSELF AN INJURY!
AW, DINNA STOP HIM, MAW. HE'S FAIR ENJOYIN' HOT MUSIC!

HOT MUSIC? HOT BACCY, YE MEAN! YOU LOT SHOOK THE HOOSE SO MUCH THE BACCY FELL OOT O' MY PIPE AND DOON MY NECK!

BEANO

*Jings, tak' a look! The fur flies when —*

*There's a scrounger loose at No. 10!*

HELLO, GRANPAW. WHERE IS EVERYBODY?
THEY'RE A' OOT, LASS!

THAT'S FUNNY, I THOUGHT MAW WAS GOING TO LAY OUT MY NEW DRESS . . .
OH, SHE DID, BUT YER SISTER BORROWED IT FOR A PARTY!

OF ALL THE CHEEK! JUST WAIT TILL I SEE HER!

SOON—
HELLO, GRANPAW. WHAUR IS A'BODY?
MAW'S AT THE GROCER'S, AND MAGGIE'S HAEIN' A BATH AFORE SHE GOES OOT.

THAT'S FUNNY—MY NEW SHOES HAVE DISAPPEARED. YE HAVENA SEEN THEM LYIN' ABOUT, HAVE YE, GRANPAW?
OH, ER, AYE, I HEARD YER SISTER SAY SHE'D BORROW THEM!

CHEEKY BESOM! SHE'S AYE BORROWIN' MY STUFF!

HERE! WHIT'S THE IDEA, TAKIN' MY SHOES?
NEVER MIND YOUR SHOES! WHAT ABOUT MY DRESS?
WAIT! STEADY ON, YOU TWA!
YOU KEEP OUT OF THIS, GRANPAW!

YE'RE AYE BORROWIN' STUFF . . .
ME? WHAT A CHEEK! IT'S YOU WHO'S ALWAYS ON THE SCROUNGE . . .

THEN—
COOEE, A'BODY. SEE ME AN' WEE JENNY . . .

THAT'S WHIT I WIS TRYIN' TAE TELL YE! IT WAS THIS SISTER THAT BORROWED YER STUFF FOR A WEE WHILE! SHE AND JENNY WERE HAEIN' A TEA PAIRTY DOONSTAIRS!

# *Motto, motto, on the wall —*

# *Who's got the reddest face of all?*

KNOCK-KNOCK!
WHIT DAE YE BET THAT'LL BE MRS DOW FRAE UPSTAIRS WANTIN' TAE BORROW A WEE CUP O' SUGAR . . ?
. . . OR A WEE DAUD O' BUTTER!

SURE ENOUGH—
COULD AH JIST BORROW A WEE TICK O' TEA, MRS BROON? I'VE RUN OOT O' IT, YE SEE!
AYE!
AULD SCROUNGER!

NEXT DAY—
SORRY TAE TROUBLE YOU, MRS BROON, BUT COULD YE LEND ME A CUP O' SUGAR?
AYE!

AND THE NEXT DAY—
WHAUR'S THE SALT?
OH, MRS DOW BORROWED IT THIS AFTERNOON.

THAT DOES IT! I'M GOIN' TAE PIT AN END TAE THAT WOMAN'S NEVER-ENDIN' SCROUNGIN'!

NEITHER A LENDER OR BORROWER BE
THERE—THIS'LL DAE THE TRICK!

MINUTES LATER—
NEITHER A LENDER OR BORROWER BE
OH, HELLO, MRS DOW. I WAS JIST NAILIN' UP OOR NEW MOTTO. HOW DAE YE LIKE IT?

NEITHER A LENDER OR BORROWER BE
HMPH! I CAN TAK' A HINT! AND IF THAT'S HOW YE FEEL ABOOT BORROWIN', YE CAN JIST GIE ME BACK THAT HAMMER . . .

. . . YE BORROWED IT FROM ME ABOOT SIX MONTHS AGO!
NEITHER A LENDER OR BORROWER BE
HA-HA!
HO-HO!

*Daph's the lass this lad selected —*

*But he's no' quite what she EGGS-pected!*

IT WIS A GUID IDEA HAEIN' AN EASTER PAIRTY AT THE BOOLIN' CLUB.
AYE, AND THERE'S A FANCY DRESS CONTEST, TOO.

HERE, IS THAT NO' HARRY WILKIE, HIM THAT USED TO BE OOR SCHOOL FITBA TEAM CAPTAIN?
AYE, I HAVENA SEEN HIM FOR YEARS—WENT TAE AUSTRALIA, WI' HIS FOWKS. YOU'LL REMEMBER HIM, DAPH. HE USED TAE HAE A CRUSH ON YOU WHEN YE WERE BAITH IN PRIMARY FOWER!

LATER—
IT'S DAPH BROON, ISN'T IT? I HAVEN'T SEEN YOU FOR YEARS, NOT SINCE I LEFT TO GO TO AUSTRALIA . . .
AUSTRALIA, OH . . !

HOW ABOUT YOU AND ME WALKING HOME—WE MUST HAVE LOTS TO TALK ABOUT.
OH, ER, AYE.

JINGS, DID YE HEAR THAT? FANCY HIM GROWIN' UP INTAE A BIG HANDSOME AUSSIE. AND HE WANTS TAE WALK HAME WITH ME.

RIGHT, ARE YOU READY TO GO, DAPHNE? JUST GIVE ME A HAND TO GET OUT OF THIS COSTUME. THERE'S A ZIP AT THE SIDE.

PHEW! THANK GOODNESS THAT'S OFF!

I'M SURPRISED YOU RECOGNISED ME. I'VE PUT ON A LOT O' WEIGHT ABROAD . . .

*Oot o' a pot, or oot o' a can? —*

*Maw's got a really 'souper' plan!*

HOME-MADE SOUP FOR TONIGHT—BRAW!

LATER—
MMM. WHAT A BRAW SMELL. MAW'S BEEN MAKIN' SOUP!

NAEBODY MAK'S SOUP LIKE MAW. GET SOME PLATES OOT, LADS!

AND THEN—
MY, THAT'S A COLD WIND OUT THERE!
AYE— FREEZIN'!

WHAT WE NEED IS A PLATE O' MAW'S SOUP!

LATER STILL—
PAW WILL BE HAME SOON— I'LL DISH UP HIS SOUP!

BUT—
HELP! IT'S A' FINISHED! PAW'LL BE WILD!

HELLO, A'BODY! RIGHT, MAW, WHAUR'S THAT SOUP? I'VE BEEN LOOKIN' FORWARD TAE IT A' DAY!

AHHH, PERFECT! YOU LOT COULDNA TELL THE DIFFERENCE BETWEEN THIS SOUP AND THE SOUP OOT O' TINS, BUT THIS IS THE STUFF I WIS BROUGHT UP ON . . . REAL, HOME-MADE SOUP!
EM—ER—YES, PAW!

# How tae keep the Broons in order? —

# Just get yersel' a tape recorder!

JINGS, ARE YE GOIN' TAE TELL MAW THAT YE BURNED A HOLE IN HER GUID TABLE-CLOTH WI' THE IRON?
NAE FEAR! I'LL HIDE THE TABLECLOTH!

HERE, WHIT'S THAT YE'VE GOT?
IT'S HORACE'S TAPE RECORDER. ME'S PRACTISIN' TAE BE ANE O' THAE WIFIE REPORTERS ON TELLY!

ER, WE WIDNA WANT MAW TAE HEAR THAT TAPE, BAIRN, AND GET A' UPSET. HERE'S A WEE PRESENT TAE YERSELF!

AYE, I'LL BE DOON TAE THE CLUB LATER, TAM. THE WIFE THINKS I'VE GOT TAE GO TAE A MEETING!

WHIT HAVE YE GOT THERE, BAIRN?
HORACE'S RECORDER. ME'S PRACTISIN' . . .

I WOULDNA LIKE MAW TAE HEAR THAT, PET . . . IT—ER—MICHT UPSET HER. HERE'S 50P TAE YERSEL'!
IT'S NAE GUID. I CANNA RESIST CHOCOLATE. IF I EAT IT QUICK, NAEBODY'LL KEN I'VE BROKEN MY DIET.

HELLO, DAPH! ME'S GOIN' TAE BE A REPORTER ON TELEVISION WHEN ME GROWS UP.
EH? OH—ER—WELL—I WOULDNA LIKE THE OTHERS TAE KEN I HAVENA BEEN STICKIN' TAE MY DIET. HERE'S A WEE PRESENT. AWA' YE GO AND PLAY SOME-WHERE ELSE!

HELLO, PET. FINISHED PLAYIN' WI' THON TAPE RECORDER, THEN?

OH, NO, ME'S JUST AWA' TAE BUY A TAPE WI' A' MY MONEY. IT'S NO' MUCH FUN PRETENDIN', WI' AN EMPTY MACHINE!
GASP!
WELL!
JINGS!

# Help m'boab! Whit a caper! —

# Guess who's written on that paper!

AH'M LOOKIN' FORWARD TAE A SEAT BY THE FIRE THE NICHT!
10

HEN BROON LUVS JEANNIE McKAY
MICHTY! THAT LOOKS LIKE THE TWINS' WORK!

DAPHNE BROON IS A BALLOON
HELP MA BOAB! AH'LL HAE TAE PIT A STOP TAE A' THIS!

JINGS! EVEN THE BAIRN'S AT IT!

LATER—
NOO, LISTEN—THIS WRITIN' ON WALLS AN' THINGS HAS GOT TAE STOP! WE'LL HAE TAE RE-PAPER THIS ROOM NOO, AFTER THE BAIRN MESSIN' IT UP!
AYE! IT'S A DISGRACE!

YE DINNA SEE GROWN-UPS SCRIBBLIN' ON WA'S!

LET THIS BE A LESSON TO YE A'!

TEE-HEE!
HA-HA!
WHIT'S SAE FUNNY?

HEN BROON'S LANKY— HEN BROON'S THIN— HEN'S AS SKINNY AS A PIN! SIGNED, PAW.
DAPHNE'S FOUND A GREAT NEW DIET, ONCE SHE'S HAD HER TEA SHE'LL TRY IT. HEN.
PAW'S MOUSTACHE IS BRAW AND THICK— FOR STRAINING HIS TEA IT DOES THE TRICK! DAPHNE
JINGS, ER—I MIND NOW—WE HAD A FUNNY VERSE COMPETITION JUST AFORE WE PIT THE NEW PAPER ON, LAST TIME!

*Joe's fighting fit, Joe's really tough —*

*What's more, Joe's never oot o' puff*

AH'M AWA' OOT JOGGIN'. SEE YE A' LATER!

THAT'S THE THIRD NICHT IN A ROW THAT JOE'S BEEN OOT JOGGIN'.
AYE, AN' HE WIS DAEIN' PRESS-UPS THIS MORNIN' AFORE HE WENT TAE WORK!
WHIT'S GOT INTAE THE LADDIE?

LATER—
OH, YE'RE BACK! ARE YE STAYIN' UP TAE WATCH THE LATE-NICHT SNOOKER PROGRAMME?
NAW, I'M AWA' TAE BED EARLY. I'VE GOT TAE KEEP MA STRENGTH UP!

NEXT DAY—
IT'S THE BIG CONTEST THE NICHT, DOON AT THE GYM. JOE BROON VERSUS NORRIE McDADE!
AH HEAR JOE'S BEEN IN TRAININ' A' WEEK!

AH HEARD TWA LADS TALKIN' ON THE BUS. OOR JOE'S IN A CONTEST DOON AT THE GYM THE NICHT!
AT THE GYM? THAT'S WHAUR THEY HAE THAE BOXIN' MATCHES! OH! WE'LL HAE TAE STOP HIM!

AND SO—
IT A' DEPENDS ON WHA GETS IN THE FIRST BLOW. AH THINK IT'LL BE JOE, MASEL'...
OH, MICHTY... MY PUIR WEE LADDIE.

STOP THE CONTEST! NAEBODY'S GOIN' TAE HURT MY WEE LADDIE...

WHEESHT, WIFIE! JOE'S LEADIN' FOWER GOALS TAE THREE.
AYE. WE'RE A' BACKIN' HIM TAE BE THE CLUB'S NEW BLAW FITBA' CHAMP!

# There's trouble when Paw —

# Lays doon the law!

LOOK WHAT WE BOUGHT AT THE BOOLIN' CLUB JUMBLE SALE—A DARTBOARD!

WE'LL HANG IT UP HERE!
STOP! DARTS MAK' AN AWFY MESS O' THE WA' IF YE MISS THE BOARD. THAT THING'S NO' GOIN' UP JIST LIKE THAT!

FOR A START, WE'LL PIT THE BOARD ON A BIG SQUARE O' HARDBOARD, SO THAT THE WA' DISNA GET MESSED UP!

AND DARTS CAN BE DANGEROUS, SO A'BODY HAS TAE STAY ON THIS SIDE O' THE CHALK LINE WHEN WE'RE PLAYIN'.

RIGHT! THAT'S ABOOT IT! NAE MESS, AN' NAE ACCIDENTS . . .
AULD BLAWBAG!

YE'VE GOT TAE THINK THAE THINGS OOT! AH DINNA KEN WHAUR YOU LOT WID BE WITHOOT ME!

WHAM!
HELP!
JINGS, HE'S HIT A WATER PIPE BEHIND THE PLASTER!

QUICK! CALL THE PLUMBER! SHUT AFF THE WATER!
THAT'S WHIT I LIKE ABOOT PAW—THINKS A'THING OOT, SO THERE'S NAE MESS, AN' NAE ACCIDENTS!
ME GET THE LIFEBOAT!

*Dearie me! Whit a blow —*

*Daphne's dream gets a real K.O. . .*

ARE YE COMIN' DOON TAE THE BOOLIN' THE NICHT, TAM?
NA, I'VE GOT TAE GO OOT A RUN WI' OOR SAMMY. HE GOES A' TAE SEED IF HE DISNAE GET REGULAR EXERCISE . . .

HERE'S OOR DAPH . . . MEBBE SHE CAN TAK' OWER FROM YOU AND LET YOU GET TAE THE BOOLIN'.

HELLO, DAPH. TAM, HERE, WID LIKE YE TAE DAE HIM A FAVOUR.
IT'S OOR SAMMY, THE BOXER. HE NEEDS TAE KEEP IN CONDITION, YE SEE, FOR THE CONTEST NEXT WEEK. I WIS WONDERIN' IF YE WOULD GO WI' HIM FOR A RUN THE NICHT TAE LET ME GO DOON TAE THE BOOLIN'.

A BOXER, EH? OH, ER, WELL, IF YE THINK I CAN KEEP UP WI' HIM.
NAE BOTHER! YE'LL GET ON FINE WI' HIM. I'LL BRING HIM ROOND THE NICHT AND INTRODUCE YE TAE HIM.

LATER—
ANITHER HELPIN', DAPHNE?
OH, ER, NO THANKS. I'LL HAE TAE CUT OOT SECONDS IF I'M GOIN' TAE RUN ALONGSIDE A BOXER!

I'D BETTER GET DRESSED FOR THE PART. I WANT TAE MAK' A GOOD IMPRESSION ON SAMMY.

THERE'S THE DOORBELL. IT'LL BE TAM AND SAMMY.
I HOPE HE LIKES ME.

THIS IS SAMMY, DAPHNE. HE'S A BRAW BOXER. WE'RE HOPIN' HE'LL WIN FIRST PRIZE IN THE DOG SHOW NEXT WEEK.

*Paw never will forget the day —*

WHISTLE

*The family hiked ower Blaikie Brae!*

IT'S A BRAW DAY. HOW ABOOT A HIKE OWER BLAIKIE BRAE . . . ?
GREAT IDEA!

AYE, AND WE CAN HAE TEA IN THON WEE CAFE AFORE WE COME BACK!
WHAT? TEA IN A STUFFY CAFE WHEN WE'RE SUPPOSED TAE BE OOT GETTIN' THE FRESH AIR? NA, NA . . .

THAT'S THE IDEA— GUID WHOLESOME SANDWICHES AN' A FLASK O' TEA . . . THAT'S BETTER FOR US!
BETTER FOR YER POCKET, MAIR LIKE! YE JIST DINNA WANT TAE TREAT US TAE TEA!

AND SO—
COME ON, YOU LOT, STEP IT OOT!
IT'S A'RICHT FOR HIM, HE'S NO' CARRYIN' THE PICNIC HAMPER!

THIS IS THE LIFE . . . FRESH AIR, FREE FOR THE TAKIN' . . .
JIST LIKE YOUR TEA . . . FREE! PHEW, LET'S HAE A REST ON THIS BRIDGE!

PHEW!
SMELL THE AIR . . . FILL YER LUNGS . . .
ME PUGGLED!

. . . TAK' A BIG BREATH . . . OH!
HELP! HE'S KNOCKED OWER THE HAMPER!

THERE GOES OOR PICNIC . . .
SO YOU KNOW WHAT THAT MEANS, PAW!

TEN HIGH TEAS, PLEASE, LASS!
AYE, THE TREAT'S ON PAW!

*Whit a laugh! There's never been a —*

*Quieter bairn than wee Tina!*

COOEE! I'M HAME! WHAUR IS A'BODY?
SSH! YE'LL WAKEN THE BAIRN!

MAW AND THAT NEW MRS SMITH FRAE DOONSTAIRS ARE AWA' TAE THE SHOPS, AND ME'S BEEN LEFT TAE LOOK AFTER WEE TINA!
OH, ER, SORRY. I HOPE I HAVENA WAKENED THE WEE SOWEL!

IT'S A'RIGHT. SHE'S OWER!

HI, EVERYBODY! WHERE'S MAW?
SSH! YE'LL WAKEN THE BAIRNIE! WE'RE LOOKIN' EFTER HER UNTIL MAW AND MRS SMITH GET BACK!

AWA' AN' DINNA HAVER! UNITED HAVENA A CHANCE . . .
SSH! YE'LL WAKEN WEE TINA!

NEXT—
BLARE!
WAH!
SHRIEK!
TURN AFF THAT TRANNY, HORACE! YE'LL WAKEN THE BAIRN!

AT LAST—
COME AWA' IN, MRS SMITH.
THAT'S MAW AND MRS SMITH BACK! THANK GUIDNESS!

THEN—
HERE'S WEE TINA, JESSIE. SHE'S BEEN AS GUID AS GOLD A' THE TIME YE WERE OOT. WE HAVENA HAD A CHEEP OOT O' HER.
SHE'S A WEE DARLIN'.
HELP M' BOAB! A WEE DOLL! THE BAIRN'S JUST BEEN PLAYIN' WI' JESSIE'S DOLL A' THIS TIME!

*Puir Paw Broon! He just can't win —*

*His plan's ruined by Daph's knitting pin!*

FORTY-SIX . . .
FORTY-SEVEN . . . KEEP IT GOIN' . . .

FORTY-EIGHT . . .
FORTY-NINE . . . ACH!
HOI! WATCH WHIT YE'RE DAEIN'!

YE SHOULDNA BE PLAYIN' HEIDERS IN THE HOOSE ANYWAY . . . IT'S FAR OWER DANGEROUS.
BUT WE CANNA PLAY OOTSIDE—IT'S RAININ'!

WHAUR'S THAT PACKET O' BALLOONS . . ?

AND SO—
HERE, YE'LL NO' DAE ANY DAMAGE WI' A BALLOON!
GREAT!
SMASHIN'!

FIVE . . .
SIX . . .
IT'S BRAINS YE NEED. THAT BALLOON'S FINE AND SAFE!

SEVEN . . . OOPS!
OH!
TIME FOR A CUPPY, A'BODY!

BANG!
EEEK!

IT'S HIS FAULT, MAW. HE SAID WE COULDNA DAE ANY DAMAGE WI' A BALLOON!

*There's a wee hitch —*

*On the fitba pitch!*

MAN, I AYE ENJOY THE SUNDAY SCHOOL PICNIC!
AYE, IT MAK'S A RARE DAY OOT!

WHAUR'S THE BROONS? WE CANNA GET THE FITBA' STARTED WITHOOT THEM.

AH, THERE YE ARE! LISTEN, WE'VE GOT A PROBLEM IN GOAL. ONE O' YE WILL HAE TAE HELP OOT. YE'D BETTER BAITH COME ALANG! HURRY UP!

HAUD ON, AULD YIN— YE'RE A BIT PAST IT!
PAST IT, DID YE SAY? LISTEN HERE, YE YOUNG WHIPPERSNAPPER, I PLAYED IN GOAL FOR THE BILERMAKER BOYS AFORE YE WERE BORN!

JIST LET ME GET LIMBERED UP AND I'LL SHOW YE WHA'S PAST IT!
AWA', YE'RE FORGETTIN' I PLAYED IN GOAL FOR PRIMARY TWA WHEN I WIS A LADDIE . . .

THE MAN SAID BAITH O' US . . . HE CAN TAK' HIS CHOICE!
HMPH!

THERE YE ARE, ANDY, TAK' YER CHOICE—ANE O' THEM SHOULD FIT!

ANDY FORGOT HIS GOALIE'S BUNNET, YE SEE, AND THE SUN'S SHININ' STRAIGHT IN HIS EYES! AND YOU TWA AULD LADS WERE THE ONLY ANES WEARIN' BUNNETS!

*Horace Broon, the brainy one —*

*Is here again to bring 'sum' fun!*

HELLO, MAW! AH'LL NEED MA TEA QUICK THE NICHT, THEN I'LL HAE A BATH. BOOLIN' CLUB MEETIN'... GASP! PUFF!

OFFICE OUTING THE NICHT... AH'LL JIST HAE TIME FOR A QUICK BATH!
OH, ER, AYE. HORACE, YE'VE GOT JAM ON YER FACE—AWA' AN' WASH IT AFF!

LATER—
JINGS, THERE'S SOMEBODY IN THE BATHROOM!

CRIVVENS, A QUEUE—AN' ME IN A HURRY!
OH, AH THOUGHT IT WIS YOU IN THERE, HEN!

NO, IT MUST BE HORACE. I HEARD MAW TELLIN' HIM TAE WASH THE JAM AFF HIS FACE.

MICHTY, WHIT A TIME THAT LADDIE'S TAKIN'. HE WIS JUST TAE WIPE THE JAM AFF HIS FACE!
BY THE SOUNDS O' IT, HE'S RUNNIN' A BATH!

WHAT A TIME—AND ALL OF US IN A HURRY!
COME ON, COME ON!
DINNA BE HARD ON THE LADDIE. IT'S GUID TAE SEE HIM TAKIN' A PRIDE IN HIS APPEARANCE!

AT LAST—
LOOK! YE'VE STILL GOT JAM ON YER FACE! HOW COULD YE COME OOT O' A BATH LOOKIN' AS DIRTY AS YE WENT IN?
BATH? I WISNAE HAEIN' A BATH! I WIS JIST WORKIN' OOT A SUM ABOOT A BATH FILLING UP!

YE WEE PEST—YE'VE MADE US A' LATE!
WELL, THE REST O' HIM MAY BE DIRTY, BUT HE'S SHOWIN' THEM A CLEAN PAIR O' HEELS!

Here's a real laughalot —

Wi' the cage Granpaw's bought

AYE, IT'S A WHOPPER O' A BIRD, RICHT ENOUGH!
WHAT YOU NEED IS A BIG CAGE. I SAW ANE IN AULD GOW'S JUNK SHOP!
HEAR THAT?

WONDER WHIT HE'S GETTIN'?
SOUNDS LIKE AN EAGLE!

LATER—
THERE'S GRANPAW WI' A PARROT'S CAGE!

AT HOME—
AYE, WE HEARD HIM SAY IT WIS A BIG BIRD . . .
AND I SAW HIM WI' A PARROT'S CAGE!
THAT'S IT, THEN—IT MUST BE A PARROT HE'S BOUGHT!

WE'D BETTER TAK' OWER SOME BIRDIE THINGS TAE GET HIM STARTED.
AYE, BIRD SEED . . .
. . . AND A WEE MIRROR . . .

AND SO . . .
THAT MANNIE IN THE PET SHOP DID SOME RARE BUSINESS WI' US . . .
AYE, THINGS FOR THE PARROT TAE EAT . . .
. . . AND TOYS AN' THINGS FOR HIS CAGE!

HELLO, GRANPAW, WE'VE COME TAE SEE YER NEW PARROT—AN' WE'VE BROUGHT IT SOME PRESENTS.
AYE, WHAUR'S THE CAGE YOU BOUGHT?
PARROT? CAGE? OH, ER, THE CAGE IS OOTSIDE . . .

. . . BUT IT'S TAE KEEP A BIRD OOT, NO' IN. THAT BIG CRAW'S BEEN EFTER MA PRIZE MARROW FOR WEEKS NOW!

*ail-coat, bow-tie, top hat too —*

*What is Horace going to do?*

WHAUR HAVE MY BONNIE SILK HANKIES GONE? THEY WERE HERE YESTERDAY.

AND MY BOW TIE'S MISSING!

I NOTICED MY TOP HAT AND MY TAIL COAT—THEM I WEAR AT WEDDINGS—HAVE GONE FROM THE WARDROBE.

ME SAW HORACE SNEAKING OOT O' YOUR ROOM—HE SAID HE HAD A LASSIE TAE SEE AT THE CHURCH HALL.

A LASSIE—AT THE CHURCH HALL! AND HIM WEARING A TAIL COAT? OH, DEAR—IT SOUNDS LIKE A WEDDIN'!

COME ON, MAW—WE'D BETTER GET DOON THERE!
AYE! WE'LL A' COME!

IS HORACE BROON IN THERE?
AYE, HE'S IN REHEARSIN' WITH JESSIE SYME.
OH!

MY TIE!
MY HANKIES!
MY HAT!
THE GREAT HORACE
ME AND JESSIE ARE JUST REHEARSIN' OOR ACT FOR THE CHURCH SOCIAL.

*If ye canna get your medicine doon —*

*Just call in wee Nurse Broon*

AT GRANPAW'S HOOSE . . .
HELLO, MAW. HOW'S GRANPAW'S CAULD?
HE'S JUST A THRAWN AULD RASCAL. HE WINNA OPEN HIS MOOTH TAE TAK' HIS MEDICINE!

LEAVE THIS TAE ME! I'LL MAK' HIM OPEN HIS MOOTH. GET READY WI' THAT MEDICINE.

HELLO, AULD YIN. HOW ABOOT A SING-SONG TAE CHEER US A' UP . . .

IT'S A LANG WAY TAE TIPPERARY . . .
JINGS, HE'S HUMMING THE WORDS, SO THAT HE WINNA HAE TAE OPEN HIS MOOTH! I'LL TRY A JOKE . . .

DID YE HEAR ABOOT THE LAD WHO BOUGHT A WOODEN CAR WI' A WOODEN ENGINE . . . IT WOODEN GO! HUH, NO' EVEN A SMILE!
NAE WONDER! WI' A JOKE THAT AULD, HE'S MAIR LIKELY TAE GREET! STAND BACK. I'LL MAK' HIM LAUGH . . .

I'M ENTERIN' THE BOOLING CLUB'S FUNNY-FACE CONTEST. WHAT DAE YE THINK O' THIS?
NO' VERY MUCH!

STOP! YOU'RE A' TIRIN' MY GRANPAW OOT! ME AN HIM'S EXHAUSTIPATED WI' A' THIS . . .
SMIRK!

YAWN!


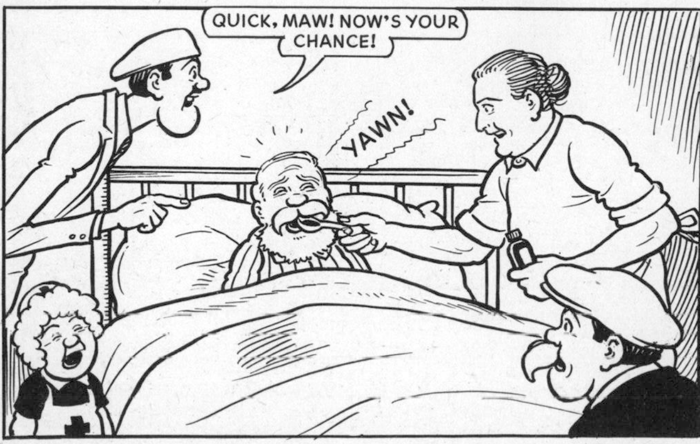

QUICK, MAW! NOW'S YOUR CHANCE!
YAWN!

SUSPICION!
INNOCENCE
HO-HO! TRUST THE BAIRN TAE SORT THINGS OOT! SHE GOT HIM TAE OPEN HIS MOOTH!

Nae wonder Paw groans with dismay —

He gets some real BLACK looks today!

AT GRANPAW'S—
JINGS. WHIT'S THAT CONTRAPTION?

IT'S THE SWEEP'S MACHINE FOR CLEANIN' THE LUM. IT BROKE DOON AFORE HE COULD GET STARTED. HE'S COMIN' BACK WI' A PAL TAE FIX IT THE MORN.

ACH! AH'LL SORT IT FOR YE, AND WE'LL GET THE LUM SWEPT RICHT AWAY.
LEAVE IT ALONE! YOU DINNA KEN ABOOT THINGS LIKE THAT.

SOON—
THERE. THAT'S IT FIXED. NOW WE'LL JIST TRY IT OOT. THERE'LL BE NAE MESS COMIN' OOT THE LUM—THAE SUCTION MACHINES ARE RARE AN' CLEAN.
HUMPH!

SWITCH ON!
WHOO!

YE SEE! NAE MESS. NO' A SPECK O' SOOT! JIST LEAVE IT TAE FAITHER!

BUT OUTSIDE—

SOON—
I WANT EVERY SPECK O' SOOT WASHED OOT O' MY SHEETS.
AYE, AND I'M NEXT!
HO-HO! SERVES HIM RICHT FOR MEDDLIN' WI' THAT MACHINE!
AYE, FANCY MAKIN' IT BLAW INSTEAD O' SUCK!

*You'll no' half chuckle when ye see —*

*Maw serving up a real 'high' tea.*

TEA-TIME AT No. 10.
PASS THE SAUCE, JOE!
HERE, WHA ARE YE SHOVIN'?
COMIN' UP, HEN!

TA, JOE!
MMM—SPLUTTER, MUMBLE . . .
SORRY, PAW!

THAT DOES IT! THIS TABLE'S NO' BIG ENOUGH FOR ALL O' US! WE'RE GOIN' TAE GET A NEW, BIG TABLE!

AND SO—
THE VERY DAB!
THIS IS WHAT YOU NEED, BROON. CAME OOT O' A MANSION!
AYE! WE'LL A' GET ROOND THIS NAE BATHER!

BACK HOME—
NAE POINT IN TAKIN' THIS AULD THING DOON THE STAIRS. WE MICHT AS WELL SAW IT UP FOR FIREWID BEFORE TAM COMES WI' OOR NEW TABLE!

WE'RE FINISHED JUST IN TIME. HERE COMES AULD TAM WI' THE TABLE ON HIS LORRY.

BUT HALF AN HOUR LATER—
IT'S NAE GUID, BROON. IT WINNA GO THROUGH YER DOOR.
YE DAFT GOWK! IT'S A BIG TABLE RICHT ENOUGH—TOO BIG FOR OOR HOOSE!

NOW WE'LL HAE TAE USE THE PULLEY AS A TABLE UNTIL THE SHOPS OPEN TOMORROW AND WE CAN BUY A NEW ANE!

*Here's a sight tae cheer Paw Broon —*

*Blawbag Green gets a big 'let doon'!*

T THE BUT AN' BEN—
JINGS, HERE COME THAE AWFY GREENS, WI' A' THEIR TENTIN' STUFF!
OH, ER, I SAID THEY COULD CAMP HERE FOR THE WEEKEND.

AYE, WE'VE GOT ALL THE LATEST GEAR, BROON. WE LIKE TO DO THINGS IN STYLE!
PAW, GIES A HAND TAE GET THAE KITCHEN CHAIRS OOTSIDE.

SAVE YOURSELF THE TROUBLE. USE OUR COLLAPSIBLE CHAIRS.
OH, ER, AYE— TA!

PAW, WE'RE NEEDING MORE WATER FROM THE PUMP.

SAVE YOURSELF SOME TROUBLE, OLD MAN. TAKE OUR COLLAPSIBLE BUCKET—IT'S LIGHTER.

PAW, THE KITCHEN RANGE IS REEKIN' AGAIN.

NOT TO WORRY, BROON. USE OUR COLLAPSIBLE STOVE.
OH, ER, THANKS.

WHAT A DAY! I'M FED-UP O' THAT BLAWBAG GREEN, AND A' HIS FANCY GADGETS!

NEXT MORNING.
WHASSAT?
HELP!

HO-HO! IT'S THE GREENS! NOW THEY'VE GOT A COLLAPSIBLE TENT AS WELL!

THUD

*Whit a panic! Mind the crush! —*

*Here's the daily breakfast rush*

EARLY MORNING—
ANY MINUTE NOO THE FAMILY WILL BE CHARGIN' THROUGH HERE TRYIN' TAE GET OOT ON TIME. THEY'RE AYE SLEEPIN' IN!

SURE ENOUGH—!
GIES A ROLL!
OOT O' THE WAY, HORACE!
QUICK—WHAUR'S THE BUTTER?

THAT NIGHT—
YE'RE AN IDLE LOT—IF YE GOT UP EARLY LIKE ME YE COULD GET OOT THE HOOSE WITHOOT A' THIS PANIC. SO TOMORROW AH'LL WAKEN YE A' AT 6.30!

NEXT MORNING—
THERE'S THE ALARM—TIME TAE GET THAT LOT UP!
BUZZ!

COME ON, YOU LOT. WAKEY-WAKEY! GET UP AN' OOT! BE LIKE ME!

ARE THEY NO' UP YET, PAW?
NAW! NAE SIGN O' LIFE—WELL, IT'S UP TAE THEM!

...AND HERE IS A SUMMARY OF THE NEWS AT HALF-PAST EIGHT...
WHIT? HALF PAST EIGHT! AH'M DUE TAE START AT EIGHT!

HO-HO! WE'LL HAE TAE MIND AN' PIT HIS ALARM BACK TAE THE RICHT TIME BEFORE HE GETS HAME THE NICHT!

*No wonder Maw is in a tizz —*

*Paw doesn't know what day it is!*

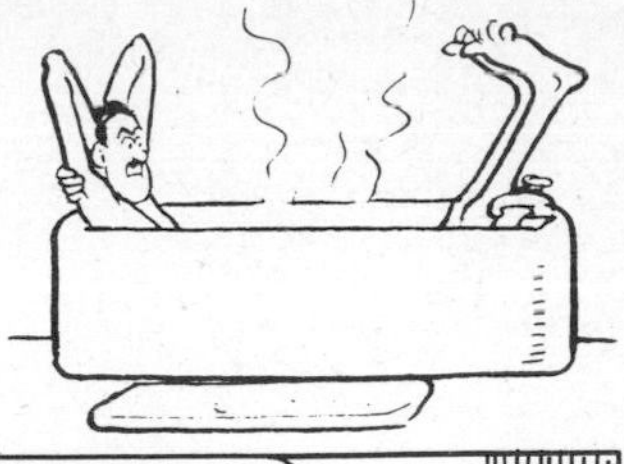

WE'RE AWA' TAE AUNTIE JESSIE'S IN BLAIRALLOCH FOR A FEW DAYS. WE'LL BE BACK ON THE TWENTY-FIRST!

WHILE WE'RE AWA', YOU LOT COULD CHANGE THE CURTAINS, PIT FRESH WATER IN THE GOLDFISH BOWL AND CHANGE THAT BROKEN LAMP-SHADE.
AYE! AYE! NAE BOTHER. LEAVE IT TO US.

LATER
THIS IS THE LIFE, EH! NAE WOMENFOLK TAE NAG US!
AYE, SMASHIN'!

NEXT DAY
WHIT ABOOT THE CURTAINS AN' THE LAMPSHADE, AN' THE GOLDFISH WATER?
ACH, WE'LL LEAVE THEM FOR NOW. THERE'S PLENTY O' TIME FOR THAT!

AND THE NEXT DAY
IT'S ONLY THE NINETEENTH. NAE NEED TAE MOVE YET. THEY'RE NO' DUE HAME FOR ANOTHER TWA DAYS.
ZZZZ

BUT JUST THEN—
OH, JINGS!
YOU? BUT YOU'RE NO' DUE HAME YET!

YE IDLE BUNCH! THIS HOOSE WAS SPARKLIN' WHEN WE LEFT IT, AND NOW LOOK AT THE MESS! AND YE HAVENA CHANGED THE CURTAINS, NOR THAT LAMPSHADE, NOR THE GOLDFISH WATER . . .

. . . AND THE REASON WE'VE CAUGHT YE OOT IS THAT YE WERE TOO LAZY TAE EVEN CHANGE THE CALENDAR!
SEPT. 19

*Whit a sight! Tak' a keek —*

*At Paw Broon playin' hide an' seek.*

AH'M AWA' TAE THE DART'S CLUB.
HELP MA BOAB! YE'RE NO' GOING OOT DRESSED LIKE THAT, ARE YE?

YE LOOK LIKE A WALKING, TALKING DRAUGHT-BOARD!
HUMPH!
OCH! LEAVE THE LADDIE ALONE, PAW.

ME FED UP WITH DOLLY. WILL YOU PLAY WI' ME, PAW?
AYE! AFTER AH'VE FINISHED READING MY PAPER, MY WEE LAMB.

AH'M AFF TAE THE TEN-PIN BOWLIN'. HOW DAE YE LIKE MY NEW GEAR?
ANITHER ANE! WHIT A SICHT! I WOULDNA BE SEEN DEID WALKING DOON THE STREETS LIKE THAT!
PLAY WI' ME NOO, PAW!

A'RIGHT! WHIT GAME WID YE LIKE?
OH! HIDE AN' SEEK!

COUNT TAE TWENTY AN' NAE LOOKING. NOW WHERE CAN I HIDE?
OKAY! ONE . . . SEVEN . . . FOUR . . . NINE . . .

I'LL WEAR THIS SHADE. CHUCKLE! THE BAIRN WILL THINK I'M A STANDARD LAMP.
PAW! DINNA PUT THAT ON YOUR HEID!

OOF! IT'S STUCK! IT WINNA COME OFF!
THERE'S GLUE INSIDE IT! HORACE WIS MENDING THE SHADE FOR ME.
AYE, AND I USED THAT NEW EXTRA-STRONG GLUE!

YE'LL JUST HAE TAE GO TAE THE HOSPITAL— THEY'LL HAE STUFF TAE SOFTEN THAT GLUE!

HO-HO! WID YE HAE A LOOK AT THAT HAT, JOE? THERE'S THE LAD THAT WIDNA BE SEEN DEID IN OOR TOGS!
SHAME!!

*Maw Broon won't forget the day —*

*The family sent her on her way!*

JINGS! I'VE RUN OOT O' SALT. I'LL NEED TAE GET SOME FOR THE TATTIES.

COULD SOMEBODY RUN TAE THE CORNER SHOP FOR SOME SALT?
NAW! AH'M READIN'.
I'M TOO TIRED!
SORRY—WE'RE WATCHIN' THE FILM ON TELLY!

HUH! I'LL JIST HAE TAE GO MYSEL'!

COULD YE GET ME AN "ANNABEL"?
I COULD DAE WI' A POKE O' PANDROPS.
A BOTTLE O' LEMONADE FOR US.

WHIT AN IDLE BUNCH. I'LL BE AGES GETTIN' A' THAT STUFF!

AH'LL GIE THAT LOT O' LAYABOUTS A PIECE O' MY MIND WHEN I GET IN. I'M SICK TIRED WORKIN' MYSEL' TAE A FRAZZLE FOR THEM. IT'S JUST WORK, WORK, WORK . . .

RIGHT, YOU BUNCH O' WASTERS . . . OH!

WE HID THE SALT SO YE'D HAE TAE GO OOT!
AYE, WE THOUGHT IT WAS TIME WE MADE THE TEA FOR YOU . . .
. . . SO WE FIXED IT THAT YOU'D HAE A WEE STROLL WHILE WE DID THE WORK!
AAH! YE'RE NO' SUCH A BAD LOT AFTER ALL.

*Trust the Bairn! She's the one —*

*To get this ceiling painting done*

COME ON, A'BODY. OOT O' YER SEATS. I'M GOIN' TAE PAINT THE CEILING!
ACH!
GROAN!

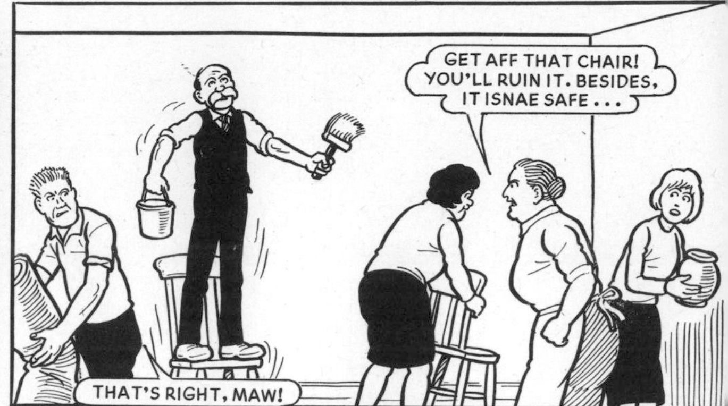
GET AFF THAT CHAIR! YOU'LL RUIN IT. BESIDES, IT ISNAE SAFE . . .
THAT'S RIGHT, MAW!

YE NEED THE RIGHT EQUIPMENT FOR THAT JOB! LET ME USE THE STEPS.
BUT JOE . . . ME KNOW WHIT THE RIGHT EQUIPMENT IS . . .
WHEESHT, BAIRN, LEAVE THIS TAE YER BIG BROTHER!

OH, JINGS, THEY'RE AFFY SHOOGLY! SOMEBODY STEADY THEM FOR ME.
WHAT? AND GET SPLATTERED WI' PAINT? NO' LIKELY!
BUT LISTEN, A'BODY, ME KNOWS . . .

STAND BACK! WE'LL TRY THIS!

ACH, THIS IS HOPELESS.
WE JIST DINNA HAE THE RIGHT EQUIPMENT. MEBBE WE NEED SCAFFOLDIN' . . .
LISTEN, YOU LOT . . .

ME KNOWS THE RIGHT EQUIPMENT!
NA, NA, BAIRN, THIS ISNAE A JOB FOR YOU TO WORRY ABOOT . . .

HULLO, A'BODY. IT'S ME . . . I'M HAME!
THERE . . . THAT'S THE EQUIPMENT YOU'VE BEEN NEEDING!

HO-HO! THE BAIRN WAS RIGHT!
YE SEE—NAE BOTHER!

*There's a shock in store —*

*For this auld bore!*

SNORE

JINGS, LOOK WHA'S COMIN'—IT'S THAT AULD WINDBAG, ECK MCTAVISH!

HULLO THERE, BROON. HOW'S YER ALLOTMENT? I SUPPOSE YE HEARD I WON THREE PRIZES WI' MY VEGETABLES AT THE CAIRNIE SHOW LAST WEEK? OH, AYE, I KEN A THING OR TWA ABOUT GAIRDENIN'!
HMPH!

I'LL WALK ALONG THE ROAD WI' YE. USUALLY I'M IN MY CAR, BUT SEEIN' AS IT'S BRAND NEW, I DIDNA WANT TAE GET IT DIRTY. IT'S THE BIGGEST CAR IN THE STREET, OF COURSE . . . A REAL BEAUTY . . .
OH, AYE . . .
ALLOTMENTS

WELL, I'LL BE SEEIN' YE. NICE HAEIN' A WEE CHAT.
A BIG BLAW, YE MEAN . . .

WE MET THAT GASBAG, ECK MCTAVISH—HE'S JIST FU' O' HOT AIR!
AYE, HE IS THAT!

LATER—
ER—PAW—IT'S MR MCTAVISH TAE SEE YOU.

EH? OH—ER—COME AWA' IN, ECK.
JINGS, WHIT DOES HE WANT?

MIND I WIS TELLING YE ABOOT MY PRIZE VEGETABLES? WELL, I HAPPENED TAE BE PASSIN' YOUR ALLOTMENT AN' SAW YER WEE CARROTS . . . I THOUGHT YE COULD DAE WI' A FEW TIPS. I'M AYE PLEASED TAE HELP.

MR MCTAVISH . . . ME NEED SOME HELP! PAW SAYS YOU'RE FULL O' HOT AIR AND GUID AT BLAWIN'—MEBBE YOU COULD BLAW UP THAE BALLOONS PAW BOUGHT ME . . .

WELL, O' A' THE CHEEK! IF THAT'S WHIT YE THINK O' ME, BROON, I'M GOIN'!
CHUCKLE!
TITTER!
HO-HO!

*Poor auld Paw is oot o' luck —*

*It seems he's well and truly stuck.*

JINGS, CLEANIN' OOT THAE CUPBOARDS GETS HARDER EVERY YEAR.
OCH, WE'LL SOON BE FINISHED!
I'LL GET OOT FRAE UNDER YOUR FEET, MAW—OOYAH!

STUPID HIGH CHAIR!
SERVES YE RIGHT, TRYING TAE SNEAK OOT WHEN THERE'S WORK TAE BE DONE.
THROB!

IT JIST CLUTTERS UP THE ROOM. I'LL TAK' IT DOON TAE AULD McFEE'S JUNK SHOP.
ME LIKE MY HIGH CHAIR!

ONLY WEE BAIRNIES NEED HIGH CHAIRS. ER . . . IT'S TIME THE BAIRN GREW UP.
MAYBE YER PAW'S RIGHT, MY WEE LAMB.
WAA!
HEARTLESS BRUTE!

WHAT A FUSS! HMPH! I'M THE ONLY ONE WI' ANY SENSE IN THAT HOOSE!

HEY, PAW—CAN YE GET OOR BA' DOON?
AYE, EASY!

LUCKY I'VE GOT THIS CHAIR . . . OOH! LOOK OUT . . . I'M FALLIN' . . .

OOYAH!
STICK!!
CRIVVENS!

HI, MAW—PAW'S STUCK IN THE BAIRN'S HIGH CHAIR. WE CANNA GET HIM OOT!
YE DAFT AULD GOAT. I'M BLACK AFFRONTED!
HO-HO! AULD BROON MUST BE IN HIS SECOND CHILDHOOD!

## The Broons all want an invite to —

## Granpaw's secret 'barbecue'!

HELLO, PET, YOU'RE HOME EARLY FROM THE PARK WI' GRANPAW.
AYE, HE SAID THIS IS THE DAY FOR HIS BARBYCUE. A' HIS CRONIES ARE GOIN' TAE BE THERE.

BARBECUE? THE CRAFTY AULD DODGER! HE NEVER THOUGHT TAE ASK US TAE HIS BARBECUE.

COME ON!
AYE, WE'RE NO' MISSIN' OOT ON A BARBECUE!

I JUST FANCY A STEAK . . .
WE'LL SETTLE FOR TWA HAMBURGERS.

THAT'S FUNNY, IT LOOKS LOCKED UP . . .
HE'S NO' IN.

TRY ROOND THE CORNER AT ANDY'S. AULD BROON AND A' HIS CRONIES ARE ROOND THERE.

HELLO, YOU LOT! WHIT BRINGS YOU HERE?
ER—THE BAIRN TELT US YE WERE GOIN' TAE A BARBECUE . . .

BARBER
BARBECUE? NA, NA . . . IT WIS A BARBER'S QUEUE, I SAID. THIS IS THE DAY WHEN ANDY GIES AULD-AGE PENSIONERS HALF-PRICE HAIRCUTS, SO WE AYE COME ROOND AND QUEUE UP FOR A CHEAP BACK-AND-SIDES!

# Granpaw Broon's bargain buys —

# Give poor Daph a big surprise.

LOOK, A'BODY. SEE WHAT GRANPAW GOT FOR US.
WINK!
ACH, I GOT THEM CHEAP FRAE AULD TAM SMITH'S BARRA. THERE'S ANE FOR EACH O' US . . .

OH, YOU LOOK AFFY BRAW!
YE'RE A WEE SMASHER!

ONE FOR YOU, JOE. ONE FOR YOU, HEN, AND ONE FOR YOU, PAW!
OH, ER, TA!

MEANWHILE—
10
I HOPE THE FAMILY LIKE THE MODEL HAT I BOUGHT FOR TEENY MAIN'S WEDDIN'. IT COST AN AFFY LOT— BUT I SUPPOSE YE'VE GOT TAE PAY IF YE WANT TAE LOOK SPECIAL!

I'LL PIT IT ON AND GIE THE FAMILY A TREAT.

I'LL GIE THEM A RIGHT SURPRISE. IT'S NO' EVERY DAY THEY SEE A REAL MODEL HAT.

HERE GOES THEN. COOEEE, A'BODY, WHAT DAE YE THINK O'—

. . . THIS? OH!

*Paw Broon thinks he's affy posh —*

*But when he stands up . . . oh, my gosh!*

TEA-TIME AT NO. 10.
GIES A ROLL . . .
SMASHIN' SPAGHETTI, MAW . . . SLURP!
TAK' YER ELBOW OOT O' MY EAR!
STOP!

THIS IS MAIR LIKE A PIGGERY THAN A TEA TABLE! YOU'LL A' HAE TAE SHOW BETTER MANNERS THAN THAT AT THE BOOLIN' CLUB SOCIAL TOMORROW NICHT. IT'S A REAL POSH AFFAIR!
HMPH!

NEXT NIGHT—
NOW MIND WHIT I TELT YE ABOOT YER MANNERS. I DINNA WANT YOU LOT LETTIN' ME DOON!

POSH PINKIE!
JINGS, IT'S AFFY HOT SOUP.
MIND OOT — YE'RE GOIN' TAE DRIBBLE THAT SOUP A' OWER YER TIE!

LOOK, TUCK YER NAPKIN INTAE YER COLLAR, LIKE THIS . . . THAT'LL SAVE YER TIE.
I WISH HE'D JUST LET US GET ON WI' OOR MEAL!

THAT WIS BRAW. AND THAT'S THE WAY I WANT TAE SEE YE A' BEHAVE WHEN YE'RE EATIN' AT HAME. IT NEEDS ME TAE SEE THAT A'THING'S DONE PROPERLY . . . NAE MESS OR ANYTHIN'. COME ON, THEN. UP YE GET . . .

CRIVVENS!
OH, JINGS!
YE SILLY AULD GOAT! YE TUCKED THE TABLECLOTH INSTEAD O' YER NAPKIN INTAE YER COLLAR!

*A mustard footbath? Oh, what bliss —*

*But jings, there's something queer 'bout this.*

JINGS, MY FEET ARE LIKE BLOCKS O' ICE! WHIT I WOULDNA GIE TAE STEEP THEM IN A BASIN O' HOT WATER IN FRONT O' THE FIRE!

GLEBE STREET—
HELLO, PAW, I'M AWA' TAE THE SHOPS. I'VE LEFT SOMETHING IN THE KITCHEN FOR YE.
EH? OH, THANKS, MAW!

INSIDE—
A MUSTARD FOOTBATH! GUID AULD MAW!

AHHHH! MAN, THAT'S SHEER BLISS!

SOON...
ZZZZZZ

LATER—
HAW-HAW-HAW!
EH? WHASSAMATTER?

JINGS, WHIT'S HAPPENED TAE MY MUSTARD FOOT-BATH?
FOOTBATH? YE DAFT GOWK— THAT'S LEMON JELLY— YER FAVOURITE!

*A family quarrel ower TV —*

*Which programme are they goin' tae see?*

IT'S CARTOON TIME ON BBC 2. SMASHIN'!

BUT—
HARD LUCK, YOU TWA—WE'RE WATCHIN' AMERICAN FITBA ON CHANNEL 4.
AW!
THAT'S NO' FAIR!

THEN—
WE CAN'T MISS DALLAS ON BBC 1. SWITCH IT OVER, DAPHNE!
WHAT A CHEEK!

BUT—
YER MAW AND I WANT TAE SEE THE AULD FILM ON ITV—AND WE PAY FOR THE TELLY LICENCE . . . SO THERE!

AMERICAN FITBA'S BETTER!
WHAT ABOUT DALLAS?
WE LIKE THE CARTOONS.
WE'RE HAEIN' THE FILM!

WHIT'S A' THE NOISE ABOOT? I COULD HEAR YE HALFWAY DOON THE STREET.
WE CANNA DECIDE WHAT TAE WATCH ON THE TELLY.

WELL, WHY NO' LET ME DECIDE? THAT'LL SETTLE A' THE ARGY-BARGYIN'!
EH? OH, ER, A' RIGHT. THAT'S FAIR, I SUPPOSE . . .
RIGHT, YOU CAN SAY WHAT'S TAE BE ON THE TELLY!

BUT—
HELP M'BOAB! THE CRAFTY AULD DODGER! HE HAD A TV GAME IN HIS BAG, TAE PLAY WI' THE BAIRN!
WE'RE NO' SEEIN' ANY O' THE PROGRAMMES!
15 - - -
THAT'S 15-3 FOR YOU, MY WEE PET!

*Mair 'ups and doons' —*

*O' life wi' the Broons!*

WELL, WE'VE SEEN AULD JESSIE MACKAY AFF TAE AUSTRALIA.
CAN WE HAE OOR TEA AT THE AIRPORT CAFE, PAW?

NORBAY HELICOPTERS LTD
JINGS, THERE'S GRANPAW! WHA'S THAT HE'S SPEAKIN' TAE?
HE'S IN UNIFORM . . . HE MUST BE ANE O' THE HELICOPTER PILOTS!

YOU CAN COME UP WITH ME AND HAVE A LOOK AROUND!
JINGS, DID YE HEAR THAT? HE MUST BE TAKIN' GRANPAW UP IN HIS HELICOPTER!

IN A HELICOPTER . . . AT HIS AGE? COME ON!
THE AULD GOAT'S NO' FIT FOR THAT CAPER!

HERE, MISS . . . DID YE SEE AN AULD MAN JIST GO PAST? A WEE BAUCHLE, IN A BUNNET?
YOU MEAN THE GENTLEMAN WHO'S JUST GONE UP WITH MR GILCHRIST?

HELP MA BOAB, WE'RE TOO LATE!
PUIR AULD GRANPAW . . . AWA' IN A HELICOPTER . . .

HELICOPTER? BUT HE'S NOT IN A HELICOPTER . . . HE'LL BE DOWN IN A MINUTE!
EH? WHIT DAE YE MEAN?

AH, THERE YOU ARE SIR. THESE PEOPLE HAVE BEEN WORRYING ABOUT YOU.
WORRYIN'? WHIT'S A' THE FUSS ABOOT? JIMMY GILCHRIST'S JIST BEEN SHOWIN' ME HIS NEW JOB, WORKIN' THIS LIFT!

# Daph's disco date —

## Sounds great, but wait . . . !

APHNE'S AT A DISCO.
NICE RECORD, ISN'T IT? I LIKE ADAM AND THE ANTS.
ACH, AH PREFER TONY AN' THE TERMITES MASEL'. 'SMATTER O' FACT, I GOT THEIR NEW TAPE FOR MY CARS JIST YESTERDAY.

CARS?
OCH, AH'VE GOT ABOOT TWENTY. I'M IN THE ENTERTAINMENT BUSINESS . . .

ATER—
COME ROOND TAE MY PLACE THE MORN—FOOT O' STATION BRAE.

AH'VE JIST BEEN DANCIN' WI' A STAR—HE'S IN THE ENTERTAINMENT BUSINESS—A RECORDIN' STAR, MAIR THAN LIKELY—AN' HE'S GOT TWENTY CARS.

AH'M GOIN' ROOND TAE SEE HIM THE MORN. HIS NAME'S WULLIE McPHEE.
AH'VE NEVER HEARD O' ONY RECORDIN' STAR CA'D WULLIE McPHEE.

EXT NIGHT—
AH'LL SEE YOU LOT LATER—AH'M AWA' FUR A HURL IN ANE O' WULLIE'S CARS.

COME ON. QUICK, A'BODY.

THERE'S NAE MANSIONS IN STATION BRAE—JIST TENEMENTS.

HA-HA! HE WISNAE KIDDIN'—ENTERTAINMENT BUSINESS, WI' TWENTY CARS!

HANG ON, DAPH—I'LL JIST PUT ON THAT NEW TAPE I WIZ TELLIN' YE ABOOT AFORE I START UP THE CARS.
McPHEE'S DODGEMS
3
7
10

*"Great Chieftain o' the puddin' race" —*

*Ye've landed Paw Broon in disgrace*

RIGHT, ARE WE A' READY FOR OOR BURNS SUPPER TOMORROW NICHT? WE'LL HAVE HAGGIS, NEEPS AN' MASHED TATTIES— AN' I'LL ADDRESS THE HAGGIS . . .

NEXT NIGHT —
OH, PAW, WE'LL HAE TAE FORGET ABOOT OUR BURNS SUPPER. AULD MRS MCKAY'S BEEN TAKEN TO HOSPITAL—WE'RE AWA' TAE VISIT HER.
I'M HERE! LEAVE IT A' TAE ME!

I'M A BURNS SUPPER EXPERT. I KEN A' ABOOT HAGGIS AN' NEEPS AN' TATTIES. AFF YE GO. I'LL DAE THE COOKING!

THAT'S IT—I'LL JIST SIT DOON NOO AN' READ 'TO A HAGGIS' SO'S I CAN RECITE IT PROPERLY.

FAIR FA' YER HONEST, SONSIE FACE . . .

LATER—
NOW WHIT COMES NEXT? ER . . .

JUST THEN—
WHIT'S THAT COMIN' FRAE THE KITCHEN?

MICHTY! I'VE BEEN SO BUSY REHEARSIN' I FORGOT ABOOT THE STUFF ON THE COOKER!
YE CAN SAY YE KEN HOW TAE MAK' A BURNS SUPPER A' RICHT—FIRST YE BURN THE TATTIES, THEN YE BURN THE HAGGIS AND THEN YE BURN THE NEEPS!

NEVER MIND, I KNEW SOMETHIN' WOULD HAPPEN—SO YE CAN RECITE TAE THE HAGGIS SUPPERS I BOUGHT!
SHAME!

*Paw's in trouble. It's no joke —*

*He should've looked before he spoke!*

DINNA FORGET, MAW, I'M GOIN' DOON TAE THE DARTS CLUB TONIGHT.

NO' UNTIL YE'VE HELPED CLEAR OOT THIS STUFF FOR THE RAGMAN. SOME O' IT'S BEEN HANGIN' UP THERE FOR YEARS.
EH? OH—ER— A'RIGHT.

THAT NIGHT
THERE'S THE RAGMAN. I'LL GET HIM TAE COME UP RIGHT NOW!

AND SO
YE MIGHT AS WELL TAK' THIS MOTH-EATEN WIFIE'S COAT AS WELL. I CANNA REMEMBER EITHER O' THE LASSIES WEARIN' IT, SO IT MUST HAVE BEEN HANGIN' AHENT SOME O' THAT OTHER STUFF FOR YEARS . . .

AFORE YE START, I'VE SEEN THE RAGMAN AND HE'S AWA' WI' A' MY AULD CLAES. AND WHILE I WAS AT IT, I GAVE HIM THAT HAIRY AULD BLACK AND WHITE COAT THAT WAS IN THE LOBBY. IT MUST BE AS AULD AS THE HILLS. I CANNA EVEN MIND EITHER O' THE LASSIES WEARIN' IT.

BLACK AND WHITE COAT . . ?
EEK!

MY GUID TWEED WINTER COAT!
HELP—TEENY McGUIRE FRAE DOON THE STAIRS!

AYE, I'LL SELL YOU THIS COAT—FOR A POUND!
ER—OKAY—I'LL—ER— TAK' IT!

*Wi' a' the fightin', and comin' and goin' —*

*You'd never guess whit Maw is sewin'*

THAT'S THE DISHES DONE. I'LL JUST SIT DOON AND HAE HALF AN HOUR AT MY EMBROIDERY.

MAW! YE'RE SITTIN' ON MY 'ANNABEL'!
OH—ER—SORRY, DAPHNE!

HMPH! SOME FOLK HAVE NAE RESPECT FOR OTHER PEOPLE'S PROPERTY!

THEN—
WHA'S NICKED THE FITBA' PAGES OOT O' THE— YIKES!

WHIT EEDJIT LEFT THAT BASKET LYING THERE?
OH, ER, ME, PAW!

LATER—
EEK!
HO-HO! WE'RE PLAYIN' WI' MAW'S THREADS . . .
AYE, WE'RE GIANT SPIDERS MAKIN' WEBS!

WEE HOOLIGANS!
THAT'S RIGHT, MAGGIE. YOU TELL THEM!
AWA'! THEY'RE JIST BAIRNS . . .

RANT!
RAVE!
MUTTER!
GRUMBLE!
AH, WELL, THAT'S MY EMBROIDERY FINISHED!
HOME SWEET HOME

*These tiles are hard tae fit —*

*But Paw has a "flair" for it!*

SWEETS AND TOBACCO

RIGHT, LET'S GET STARTED LAYIN' THESE FLOOR TILES. YE'RE MEANT TAE START AT THE WALL . . .
NA, NA, YE SHOULD START IN THE MIDDLE O' THE FLAIR.

LOOK, AWA' YE GO, THE LOT O' YE, AFORE YE MAK' A MESS O' IT. I'LL DAE THE JOB MASEL'!

HMPH! WE KNOW WHEN WE'RE NO' WANTED!
AYE, HE'S A RICHT SMART ALEC!

MICHTY! THIS ISNAE AS EASY AS IT LOOKS!

GOODNESS! ARE YE SURE YE KNOW WHAT YOU'RE DOIN', PAW?
OF COURSE I'M SURE! IF YOU'D JUST GET OOT O' HERE, I'D GET PEACE TAE GET ON WI' THE JOB!
RIGHT! WE'RE AWA' DOON TAE GRANPAW'S!

WO HOURS LATER—
LET'S SEE HOW PAW'S GETTIN' ON.
I'LL BET IT'S SOME MESS!

JINGS, THAT'S PERFECT, PAW! THERE'S NO' A TILE OOT O' PLACE!
IT'S BRAW! YE'RE A GENIUS, PAW!

WAIT A MEENIT! WHAUR'S MY TEDDY?

HERE IT IS—IN THE CORNER WHAUR ME LEFT IT!
HO HO! NAE WONDER THERE WISNAE A TILE OOT O' PLACE! THE AULD TWISTER MUST'VE NIPPED OOT AND BOUGHT A ROLL O' SQUARED LINO!

*Stand by, folks, for laughs galore —*

*See who's the champion boomerang thrower*

SEE WHAT I GOT FOR THE BAIRN AT THE BOOLIN' CLUB JUMBLE SALE!
A BOOMERANG! LET'S GO TAE THE PARK TAE TRY IT OOT!
HMPH! YOU LOT KEN NOTHIN' ABOOT BOOMERANG THROWIN'. I'LL SHOW YE HOW IT'S DONE!

IN THE PARK —
RIGHT! MY TURN FIRST!
HMPH!

JINGS, IT'S NO' TURNIN' BACK!
I TELT YE YE DIDNA HAE THE KNACK!

ER, COULD WE HAE OOR BOOMERANG BACK?
SOME FOWK JUST NEVER GROW UP!

WATCH THIS! IT'S THE FLICK O' THE WRIST THAT DOES THE TRICK!

WHIT A FLOP!
HO-HO! STRAIGHT INTAE THE POND!

SOME EXPERT YOU ARE!
WHISPER

ME SHOW YE A' HOW TAE DAE IT!
HO-HO! WE'LL A' BUY YOU A POKE O' JOOB-JOOBS IF YE CAN MAK' IT COME BACK!

FETCH, FIDO!
THAT'S IT, BAIRN!
EH?

YE SEE—THAT'S HOW TAE GET IT BACK! NOW YE A' OWE ME SWEETIES!
HO-HO! SERVES YE ALL RIGHT FOR TRYIN' TAE BE SMART!

Paw Broon sees some odd rig-oots —

But guess who gets the laughter hoots!

COME ON, YOU LOT. WE'LL BE LATE FOR THE KIRK SOCIAL!
JINGS, IS IT THAT TIME ALREADY?

RIGHT, YOU DAE THE DISHES WHILE WE GET DRESSED.
BUT I'VE GOT MY GUID SUIT ON!
WELL, JIST MIND YE DINNA SPLASH ANYTHIN' ON IT!

COME ON, PAW. WE'RE A' READY TO GO!

HMPH! JIST LOOK AT THAE LASSIES IN DUNGAREES! I CANNA UNDERSTAND WHY THEY WANT TAE GET DRESSED UP LIKE MEN!

THERE'S ANITHER ANE— WI' A MAN'S SHIRT AND TIE!
ACH, IT'S A' THE FASHION, PAW!

HELP M'BOAB! WID YE LOOK AT THAT? THEY'RE EVEN PINCHIN' OOR HATS NOO!

OH, HELLO, MEENISTER. I WIS
ST SAYIN', YE DINNA SEE
US MEN WEARIN' CLAES
THAT WERENA MADE FOR
US!

BUT—
WELL, WELL—WHIT WAS THAT YE WERE SAYIN', PAW?
HO-HO! YOU FORGOT TAE TAK' AFF YER PINNY WHEN YE FINISHED DAEIN' THE DISHES!

*There's trouble a'plenty at No. 10 —*

*It's just like old schooldays again!*

WHIT'S THIS? STILL DAEIN' HOMEWORK? I'M NEEDIN' THE KITCHEN TABLE TAE LAY OOT THE BOOLIN' CLUB BOOKS. AULD TAM MACKAY'S COMIN' OWER TAE CHECK THEM.

WHEN I WIZ AT SCHOOL, I COULD DAE MY HOMEWORK IN TEN MINUTES.
HMPH!

MIND YOU, I WIZ CONSIDERED SOMETHIN' O' A GENIUS . . . I JIST RATTLED THROUGH MY SUMS . . .
AULD BLAWBAG!

THERE'S THE DOORBELL. IT'LL BE MR MACKAY . . .

MRS BROWN? GOOD EVENING. I'M AFRAID MR MACKAY WAS UNABLE TO COME THIS EVENING, SO I'VE BEEN ASKED TO TAKE HIS PLACE . . .
OH, COME AWA' IN, MR—ER—

HELP! IT'S NEBBY FRASER— MY AULD TEACHER!
WELL, WELL, IF IT'S NOT YOUNG BROWN . . .

AND SO—
TCH, TCH! ANOTHER MISTAKE, BROWN. NINETEEN AND THIRTY- TWO DO NOT ADD UP TO FORTY- ONE! AND THE WRITING . . . OH DEAR, OH DEAR.

MUCH LATER—
NOW, LET'S GO OVER THIS COLUMN AGAIN . . . WHAT'S TWENTY- ONE AND THIRTY- FIVE . . ? HMM?
HO- HO. A GENIUS, EH? A GENIUS FOR GETTIN' THINGS WRANG, MAIR LIKE!
AYE, WELL, WE'LL GET AWA' TAE BED. HE'LL BE THERE FOR HOURS YET!

# Has Tam REALLY got — A big fancy yacht?

YE'LL NEVER GUESS—JESSIE McKINNON INTRODUCED ME TAE HER COUSIN, TAM . . . AND HE'S TAKEN A FANCY TAE ME!

HE'S ASKED ME OOT TOMORROW. AND LISTEN TAE THIS . . . HE'S GOT A BOAT!

ACH, WE'VE HEARD THAT KIND O' STORY AFORE!
AYE, IT'LL BE A MODEL BOAT, I SUPPOSE!

YE'RE JIST JEALOUS! IT'S A REAL BOAT . . . AND HE SAID HE WOULD SHOW ME ROUND IT!

NEXT DAY—
ARE YE SURE IT'S NO' JUST ANE O' THAE PADDLE BOATS IN THE PARK?
NO, IT'S NO'! I'VE TAE MEET HIM AT THE HARBOUR!

WE'LL COME AN'SEE YE AFF!
YE CAN DAE WHIT YE LIKE. SNIFF!

AT THE HARBOUR—
HELLO, DAPHNE. COME AWA' ABOARD!
OH, ER, AYE. THANKS, TAM!

CHEERIO, YOU LOT!
JINGS, IT'S A BEAUTY O' A BOAT!
TAM MUST BE AFFY RICH!

BUT—
SORRY ABOOT THIS, DAPHNE, BUT I HAD TAE TIE UP ALANGSIDE THIS BIG BOAT.
DINNA SAY A WORD TAE THE OTHERS, YOU LOT!

*Granpaw's skating plan's a topper —*

*It's Paw Broon who comes a cropper!*

TRY UNDER THE CHAIR.
NAH, THEY'RE NO' THERE.

HAS ANYBODY SEEN OOR ROLLER SKATES?
AYE, GRANPAW BORROWED THEM THIS MORNIN'!

WHIT? THAT AULD GOAT ON SKATES? HE'LL DAE HIMSEL' AN INJURY!
OH DEAR, MEBBE WE'D BETTER GO ACROSS TAE THE SKATIN' RINK!

I JIST HOPE WE'RE NO' TOO LATE. HE'S PROBABLY BROKEN HIS LEG BY NOW!
PUIR AULD GRANPAW!

BUT—
YER FAITHER? AYE, HE WIS IN EARLIER, BORROWIN' TWA PAIRS O' SKATES! SAID HE WIS GOIN' BACK TAE HIS HOOSE TAE MEET HIS CRONIES!
OH, NO! THERE'S NAE SAYIN' WHAT THAT LOT WILL GET UP TAE WHEN THEY GET TOGETHER!

LOOK, THERE'S GRANPAW'S PALS JIST GOIN' INTAE HIS HOOSE NOW. MEBBE WE'RE IN TIME TAE STOP THIS SKATIN' CAPER!

NOW SEE HERE, GRANPAW BROON, NAE ARGUIN'—YE'LL HAND THAE SKATES BACK AFORE YE BREAK A LEG OR SOMETHIN'!
ACH, HAUD YER WHEESHT, YE YOUNG WHIPPER-SNAPPER! AND COME AWA' IN!

THERE! THAT'S WHIT THE SKATES ARE FOR! ME AN' THE LADS ARE SHIFTIN' MY FURNITURE AROOND!

*No more burnt offerings now—*

*That toaster really pops — and how!*

BREAKFAST TIME AT NO. 10.
I'LL JIST HAE A BIT O' TOAST AN' MARMALADE . . .

HELP M'BOAB— IT'S BURNT!
AND THAT'S THE LAST BIT O' BREAD IN THE HOOSE!

I'M GOIN' TAE FIX THAT THING THE NICHT. I'M FED UP GETTIN' BURNED TOAST!

THAT NIGHT—
I'LL SOON FIX THIS! NAE TOASTER'S GOIN' TAE DAE ME OOT O' MY BREAKFAST!

BED- TIME.
THAT'S IT. I'M AFF TAE BED!
WHIT ABOOT TESTIN' IT?
TEST IT? WHY WOULD I WANT TAE TEST IT? I KEN WHEN I'VE DONE A GOOD JOB!

NEXT MORNING—
I'M RED- HOT AT FIXIN' THINGS! WATCH THIS!

IT SHOULD BE POPPIN' OOT JIST ABOUT NOW—A' GOLDEN BROWN. I'VE PIT AN END TAE BURNT OFFERINGS!

SUDDENLY—
TWANG!
WHEE!
ZOOM!

WHIT WAS THAT YE SAID ABOOT BURNT OFFERINGS, PAW?
AYE, HE'S " RED- HOT " AT MENDIN' THINGS!

*Settle doon in your ring-side seat —*

*The "big fight" here is hard tae beat!*

THE BIG FIGHT'S ON IN TWA MINUTES.
SWITCH IT ON!

BIG FIGHT NOTHIN'! MAGGIE AN' ME AN' MAW ARE WATCHIN' ROCK HANSOM IN THE FILM ON THE OTHER CHANNEL.

BOXIN'!
THE FILM!
DINNA ARGUE—YE CAN COME TAE MA HOOSE TAE WATCH THE FIGHT.

WE'LL HAE TAE RUSH—IT'S A TEN MINUTE WALK TO GRANPAW'S.
AYE, WE DINNA WANT TAE MISS THE START!

DINNA WORRY! I'VE BORROWED ALEC WILSON'S VIDEO RECORDER. IT'S SET TAE TAPE THE FIGHT. WE CAN TAK' WIR TIME.

COME ON—WE'LL GET A FISH SUPPER.
SMASHIN'!

NAE NEED TAE HURRY—THE VIDEO NEVER FAILS. YOU LOT SHOULD GET UP TAE DATE LIKE ME.

GREAT, EH? WE TAK' OOR TIME, HAE A FISH SUPPER AN' THANKS TAE MODERN TECHNOLOGY WE CAN WATCH THE FIGHT WHEN IT SUITS US.
YE'RE A GENIUS!

BUT—
THAT'S FUNNY! THE LIGHT'S NO' GOIN' ON.

AH'VE JIST REMEMBERED —AH FORGOT TAE PUT MONEY IN THE ELECTRIC METER. THE VIDEO WINNA BE WORKIN'!

YOU AN' YER BRAW IDEAS!
NEVER MIND— WE'RE SEEIN' A BIG FIGHT EFTER A'!

# *Wi' a' this chat and funny stuff—*

# *They make a record, right enough!*

IN THE SHOPPING MARKET—
RECORD YOUR VOICE
LOOK, THERE'S ANE O' THAE BOOTHS WHAUR YE MAK' A RECORD.
COME ON, LET'S GIE IT A TRY!
AYE, WE COULD SEND IT TAE AUNTIE JEANNIE IN AUSTRALIA. IT WID BE CHEAPER THAN PHONIN'!

WE'LL BE OOT IN A MINUTE, MISTER. WE'RE JIST GOIN' TAE MAK' A RECORD FOR OOR AUNTIE JEANNIE!
OH, AYE. PAY WHEN YE COME OOT.

NOW THEN, LET'S HAE A WEE SONG FOR JEANNIE. THE BONNIE WELLS O' WEARIE . . .
AWA'! GIE HER SOMETHIN' MODERN . . .
AYE, LIKE 'COMIN' THROUGH THE RYE . . .'

STOP YER HAVERIN'! WE SHOULD BE TELLIN' HER OOR NEWS . . .
AYE, MAW'S RIGHT!

OKAY. RANGERS ARE INTAE THE NEXT ROOND O' THE CUP . . .
STOP! SHE'S NO' WANTIN' TAE HEAR THAT RUBBISH!

ARE YE LISTENIN', AUNTIE JEANNIE? IT'S ME WI' THE NEWS . . . DAPHNE'S GOT A NEW LAD, AND HORACE HAS GOT A PRIZE FOR HIS ALGYBRA . . . HE'S AFFY GUID AT LANGUAGES . . .
. . . AND I GOT THIS BRAW PAIR O' SHOES AT THE SALE . . .
DINNA FORGET TAE TELL HER ABOOT MY NEW DOLLY . . .

AT LAST—
WELL, WE'VE MADE A RECORD. HOW MUCH DAE WE OWE YE?
OH, AYE, YE'VE MADE A RECORD A'RIGHT...

... IN FACT, YE NOW HAVE THE RECORD O' BEIN' IN THAT BOOTH LONGER THAN ANYBODY ELSE I'VE EVER KNOWN! THAT'LL BE TWENTY-EIGHT POUNDS, PLEASE!
JINGS, WE'D HAVE BEEN CHEAPER GOIN' TAE VISIT HER!

*Twa dozen fish and ten bags o' chips —*

*But none will pass the Broon folks' lips!*

HELLO, FOLKS! CAN I USE YER PHONE?
AYE, HELP YERSEL'!

I'LL JIST MAK' SURE HE'S NO' PHONIN' UP THAT AULD CRONIE O' HIS THAT EMIGRATED TAE AUSTRALIA!
NOSEY AULD WIFE!

JINGS, HE'S ORGANISIN' A FEAST! WAIT TILL THE OTHERS HEAR THIS!
I HOPE YE CAN DELIVER THEM A'!

AYE, THAT'S RIGHT—TWA DOZEN FISH AND TEN BIG BAGS O' CHIPS!
WHISPER . . . LISTEN!

WELL, THANKS VERY MUCH. I'LL BE SEEIN' YE!

WID YE CREDIT THAT! NO' EVEN AN INVITATION TAE HIS BIG FISH SUPPER PAIRTY EFTER USIN' OOR PHONE!

NEXT DAY—
COME ON! WE'RE GOIN' ROOND TAE GRANPAW'S FOR A FEED!
AYE, IT'S NO' FAIR, LASHIN' OOT ON HIS CRONIES WITHOOT THINKIN' O' US!

A'RIGHT, THEN, GET OOT SOME MAIR KNIVES AND FORKS . . . WE'RE A' HERE!
EH? WHIT ARE YE BLETHERIN' ABOOT?
DINNA PLAY THE DAFT LADDIE! YE KEN FINE WE'RE TALKIN' ABOOT YER FISH AN' CHIPS! ARE THEY HERE YET?

OH, AYE, I SEE WHIT YE MEAN! HERE THEY ARE NOW!
GARDEN SUPPLIES

I'LL PIT THE FISH INTAE MY NEW POND, AN' YOU LOT CAN RAKE OOT A' THAE CHIPS ROOND THE PATH!
HO-HO! SERVES THEM RIGHT!

# *The day that Paw —*

# *"Fell" foul o' the Law!*

LOW
BRIDGE
7' 6"

TCH! WHA'S THAT AT THE DOOR?
DAPHNE'S GOIN' TAE SEE.

OH!
IT'S THE POLIS, PAW. THE TWINS ARE IN TROUBLE!

AYE, I CAUGHT THEM WHIZZIN' DOON STOORIE STREET ON THIS SKATEBOARD . . . JUST ABOOT LANDED BENEATH A BUS!
HMPH! LEAVE THIS TAE ME!

NAE TELLY AN' NAE SWEETIES FOR A WEEK, UNDERSTAND?
AW . . .

AND I'M TAKIN' THIS SKATEBOARD ROOND TAE GRANPAW'S SO'S YE CANNA USE IT!
SHAME
THAT'S TELLIN' THEM, PAW!

I'LL PIT IT IN GRANPAW'S GAIRDEN SHED, OOT O' HARM'S WAY!
OH-OH!

TRIP!!
YEOWP!

YOUNG HOOLIGAN!
AAAAARGH!

LATER—
AYE, THAT'S RIGHT, MISSUS— SKATEBOARDIN' DOON THE MAIN STREET!
GASP!
TUT-TUT!

I'M ASHAMED O' YE, PAW BROON, BRINGIN' THE POLIS TAE OOR DOOR! JUST WAIT TILL GRANPAW HEARS ABOOT THIS!
NAE BACCY FOR A WEEK!

KEEP
FIT
CLASS

## *This run home's not the kind —*

## *That Daphne had in mind!*

SMASHIN' DISCO, EH, DAPHNE!
AYE! GREAT!

CAN I SEE YE HAME?
OH—ER— THANKS, TAM!

BUT—
IT'S A RARE NICHT FOR A WALK!
AYE, I—ER—SUPPOSE IT IS!

HMPH! HOW IS IT THAT I AYE END UP WI' A LAD WITHOOT A CAR? I'VE GOT TAE WALK HAME EVERY TIME I GO OOT!
WHIT A SHAME!
IS YER FEETIES HURTIN', DAPH?

NEXT NIGHT—
I'M AWA' TAE THE BADMINTON CLUB.
MAYBE YE'LL GET A LAD WI' A CAR TONIGHT!

AH, DAPHNE, I'D LIKE YOU TO MEET A NEW MEMBER— ALEX SMART. ALEX—THIS IS DAPHNE BROON.
PLEASED TAE MEET YE, ALEC.
MY PLEASURE, DAPHNE.

HE'S A BRAW- LOOKIN' LAD. I WONDER IF HE HAS A CAR?

LATER—
WELL, THAT'S BEEN A REAL TREAT! DO YOU FANCY A RUN HOME, DAPHNE?
OOH, YES, PLEASE, ALEC!
AT LAST!

BUT—
YES, THERE'S NOTHING LIKE A GOOD RUN TO KEEP YOU IN TRIM. I JOG EVERY NIGHT!
HO- HO! PUIR AULD DAPHNE— I'LL BET THAT'S NO' THE KIND O' RUN SHE HAD IN MIND!

# *You'll see some funny holiday "sights" —*

# *When Paw Broon fixes up those flights!*

HAS PAW DECIDED WHERE WE'RE GOING FOR OUR HOLIDAYS THIS YEAR?
HOLIDAY? HMPH! YE'LL NO' GET HIM TAE GO PAST THE BUT 'N' BEN!

BUT—
HEY, BROON! DID YE GET YER FLIGHTS FIXED UP?
I'M ON MY WAY TAE SEE ABOOT THEM RIGHT NOO, TAM!
OOH! DID YOU HEAR THAT, DAPHNE?

HI, LADS! LISTEN—WE'VE GOT SOME GREAT NEWS!
PAW'S TAKING US ABROAD THIS YEAR! HE'S AWAY BOOKING THE FLIGHTS RIGHT NOW!

CONTINENTAL CLOTHES LTD.
A SUNSHINE HOLIDAY, EH? WE'LL NEED TAE GET A' THE GEAR!
COME ON, LET'S GO IN HERE!
WE'LL GET SOMETHING FOR MAW, TOO. SHE DESERVES IT.

AND SO—
MICHTY! WHIT'S A' THIS?
YE'LL NEVER GUESS—PAW'S TAKIN' US ABROAD FOR A HOLIDAY!

WE'VE GOT CLAES FOR A'BODY . . .
OH, MY . . .

SOON—
COOEE, A'BODY, IT'S ME! I'M HAME! JINGS, WHIT'S A' THE FANCY DRESS FOR?
DINNA KEEP US IN SUSPENSE, PAW. WE HEARD YE TELL TAM GREEN YE WERE AWA' TAE SEE ABOOT THE FLIGHTS—SO WHAUR ARE YE TAKIN' US FOR OOR HOLIDAY?

FLIGHTS? HOLIDAY? YE'VE GOT IT A' WRANG! I WIS AWA' SEEIN' ABOOT FLIGHTS FOR MY DARTS FOR THE BIG MATCH THE NICHT!
EEK!
OH, NO!

*After all the things he said —*

*Poor Paw's face is no' half red!*

HERE, YOU TWA, HAVE YE NAE HOMEWORK TAE DAE?
OH, ER, WELL . . .
BOXING

HAS ANYBODY SEEN MY HAIRDRIER? I LEFT IT ON THE TABLE.
ER . . . WE BORROWED IT, DAPHNE!
HMPH! YE'VE NAE BUSINESS TAKIN' ITHER FOWKS' STUFF WITHOOT PERMISSION!

THERE'S TOO MUCH O' THIS GOIN' ON! YE SHOULD NEVER TOUCH OTHER FOWKS' PROPERTY!
ACH, THEY DIDNA MEAN ANY HARM, PAW!

THAT'S NO' THE POINT! NAEBODY SHOULD . . .
HERE! WHA'S BEEN USIN' MY GUID TIE? LOOK AT THE STATE IT'S IN!

IT WIS ME, HEN. I WORE IT TAE OOR SCHOOL DISCO!
HELP M'BOAB! ANOTHER ANE AT IT!

YE SHOULD BE ASHAMED O' YERSEL', HORACE. YE'RE AULD ENOUGH TAE KEN BETTER!
PUIR HORACE! I'M SORRY I SPOKE!

WHIT A FAMILY . . . THE YOUNGER GENERATION ARE A' THE SAME . . . MUTTER . . . MUTTER . . .

JINGS! THIS IS THE LAST STRAW! WHA'S WORK IS THIS? YE CANNA EVEN CA' YER PAPER YER AIN IN THIS HOOSE!

MAW CUT IT OOT FOR YE, PAW. IT TELLS YE WHAUR YE CAN GET JOE'S ELECTRIC RAZOR REPAIRED.
EH? WHIT'S THAT ABOOT MY RAZOR?

WELL, ER, I BORROWED IT LAST NIGHT, TAE TRIM MY MOUSTACHE . . . AN' I DROPPED IT . . .

SO! YE BORROWED JOE'S RAZOR WITHOOT ASKIN', EH . . ?
EFTER A' YE SAID ABOOT ITHER PEOPLE'S PROPERTY . . !
SIGH! WHEN WILL I LEARN TAE KEEP MY BIG MOOTH SHUT?

*There's something funny going on here —*

*Here's Hen Broon, the mooseketeer!*

THAT WIS A BRAW GEMME, JOE.
AYE, SMASHIN'!
HELLO, WHY'S THE TEA NO' ON THE TABLE? WHAUR'S MAW?

SHE'S AWA' TAE GET THE JOINER TAE HELP GET A MOOSE OOT O' THE CUPBOARD.
WHIT? PAY A JOINER TAE CATCH A MOOSE?
WE DINNA NEED A JOINER TAE DAE THAT. WE'LL HANDLE IT OORSELVES!
AYE, LET'S GET STARTED!

RIGHT! HEN, GO AN' GET SOMETHIN' TAE CLOBBER THE PEST. YOU TOO, JOE.
THIS'LL BE GUID!

HOW'S THIS? I HAD IT LAID OOT FOR MY FENCIN' LESSON THE NICHT!
EH? GULP! OH, ER, OKAY!
HO-HO! HE MUST BE A MOOSEKETEER!

I'VE GOT GREAT-GRANPAW'S AULD BLUNDERBUSS!
W-WELL, WATCH WHAUR YE'RE POINTIN' IT!

RIGHT, I'LL OPEN THE DOOR. GET READY TAE BELT IT ANE WHEN IT RUNS OOT!
JINGS, WHIT'S GOIN' ON HERE?

HEAVE ... ACH, THE HANDLE'S COME AFF!

PAW BROON! JIST WHIT DAE YE THINK YE'RE DAEIN'?
WE WERE EFTER THAT MOOSE IN YER CUPBOARD. WE WERE GOIN' TAE CLOBBER IT!

YE DAFT GOWKS! THIS IS A CHOCOLATE MOUSSE I MADE SPECIALLY FOR YOUR TEA. BUT THE DOOR JAMMED AND I COULDNA GET IT OOT!
BLUSH!

## The menfolk get the breeze up when —

## It's time tae draught-proof No. 10!

THERE'S AN AFFY DRAUGHT WHEECHIN' PAST MY LEGS!
I FEEL IT TOO, MAW. MEBBE WE SHOULD TRY SHIFTING THE FURNITURE ROUND SO THAT WE GET OUT OF IT!

SO—
THAT'S IT—PIT THE SETTEE OWER IN THAT CORNER.
THEN WE'LL MOVE THE CHAIR TO THE OTHER SIDE.

THIS IS NAE GUID. I CAN STILL FEEL A DRAUGHT!
WELL, WE'LL TRY IT THE ITHER WAY ROOND!
EH?

FIFTEEN MINUTES LATER—
RIGHT, LET'S START AGAIN. WE'LL HAE THE SETTEE HERE, AND THE SIDEBOARD ON THE ITHER WA', WHAUR IT CAN STOP THAT DRAUGHT FRAE THE WINDIE . . .
COME ON, JOE, GET THE TABLE MOVED!

WHILE WE'RE AT IT, WE COULD SHIFT THE CARPET . . . THAT'LL HELP TAE STOP THE DRAUGHTS.
HERE THAT? COME ON, LADS, LET'S GET OOT WHILE THEY'RE STILL TALKIN'!

WE'LL GET SOME PEACE AN' QUIET AT GRANPAW'S.

HELLO, YOU ANES! YE'RE JIST IN TIME. ME AN' AULD JOCK HAVE GOT A PROBLEM WI' . . .

. . . DRAUGHTS.
WHIT?

SLAM!
WHIT WAS A' THAT ABOOT?
ACH, THEY WOULDNA HAVE BEEN ABLE TO SETTLE OOR ARGUMENT, ANYWAY. THEY PROBABLY DINNA KEN ANYTHIN' ABOOT PLAYIN' DRAUGHTS!

## A telegram? Well, no, not quite—

## But it sure does the trick all right!

JINGS! A' THE MENFOLK ARE IN BED WI' FLU AN' IT'S THE WOMEN'S CLUB OUTING TAE EDINBURGH THE MORN.
GET AUNTIE JESSIE TAE COME AN' LOOK EFTER THEM.
GOOD IDEA!
BUT SHE'S NOT ON THE PHONE.
SEND A TELEGRAM!
GO DOON TAE THE POST OFFICE AN' SEND THAT TELEGRAM TAE AUNTIE JESSIE.
LEAVE IT TAE US!
BUT—
WE DON'T HAVE TELEGRAMS ANY MORE—JUST TELEMESSAGES, AN' THAT'LL NO' REACH YER AUNTIE JESSIE IN ABERDEEN TILL TOMORROW—AN' THAT'LL BE OWER LATE . . .
WHIT ARE WE GOIN' TAE DAE?
LEAVE IT TO ME . . .

DID YE MANAGE A'RIGHT?
AYE, ME SENT THE MESSAGE LIKE YE SAID.
NO SHE DIDNA— THEY DINNA HAE TELEGRAMS NOOADAYS!
WELL, YOU WAIT AN' SEE—AUNTIE JESSIE'LL BE HERE THE MORN.

NEXT DAY—
HELLO, A'BODY— AH GOT THE MESSAGE.
BUT AH THOUGHT THEY DIDNA HAE TELEGRAMS.

AH DIDNA SEND IT BY TELEGRAM— AH SENT IT BY TELL-A-GRAN! ME SAW GRANNY WATSON WAITIN' FOR THE ABERDEEN BUS AN' TELT HER TAE PASS THE MESSAGE ON!

## Here's a wedding photograph—

## That's sure tae mak' ye laugh!

COUSIN AGGIE'S GETTIN' A RARE DAY FOR HER WEDDIN'!
HURRY UP, A'BODY. THE TAXIS WILL BE HERE SOON.

HEY, YOU ANES—I FORGOT TO COLLECT MY GUID SHOES FRAE THE COBBLER!
YE DAFT SKITE! YE'RE AYE FORGETTIN' THINGS!
YOU GO FOR THEM, DAPHNE. YOU'RE READY.

FIVE MINUTES LATER—
HERE YE ARE, GRANPAW— GET THEM ON, QUICK!

BUT THEN—
I THOUGHT YOU WERE GOIN' TAE GET A HAIRCUT, HEN!
OH, ER, AYE, BUT I FORGOT.
TCH! ANITHER ANE WHO'S AYE FORGETTIN'!

ACH! I'VE LEFT THE FLOOER FOR MY BUTTONHOLE UPSTAIRS!

YE'RE A' THE SAME . . . FORGETTIN' THIS AN' FORGETTIN' THAT! YE'D FORGET YER HEID IF IT WISNAE STUCK ON!

COME ON, PAW, COME INTAE THE PICTER.
OH, ER, ACH, DINNA MIND ME. I'LL JIST STAND IN THE BACKGROUND.

YE'LL DAE NAE SUCH THING! AND TAK' YER HANDS OOT O' YER POCKETS. STRAIGHTEN UP . . .
WAIT! I CANNA . . .

PAW BROON!
HO-HO! WID YE LOOK AT HIM—THE MAN WHO NEVER FORGETS ANYTHIN'!
I TRIED TAE TELL YE, MAW— I FORGOT I NEEDED GALLUSES WI' THAE BREEKS!

*Michty me! Just hae a look—*

*Here's a "turn-up" for the book!*

SPLUTTER
BACCY
TEA

HELLO, A'BODY—I GOT A BRAW NEW PAIR O' BREEKS AT WILSON'S SALE.
LET'S SEE THEM, THEN!

WHIT D'YE THINK? THERE'S JUST ONE THING NO' RIGHT ABOOT THEM AN' I WIZ WONDERIN' IF YE COULD DAE A WEE SEWIN' JOB?
THEY'RE BRAW! JIST TELL ME WHIT YE WANT DONE—I'LL DAE IT AT THE BUT AN' BEN AT THE WEEK-END.

T THE WEEKEND—
GRANPAW'S COMIN' UP BY THE AFTERNOON BUS—I SHOULD HAE THE ALTERATION TAE HIS BREEKS DONE BY THEN.

LATER—
I'D BETTER GET GRAN-PAW'S NEW BREEKS SEWN. COOFF, BAIRNIE—FETCH GRANPAW'S BREEKS . . .

BUT—
I CANNA FIND THE BAIRN. HAS ANYBODY SEEN HER?

SHE'S NO' IN THE BEDROOM.
I CANNA SEE HER OOTSIDE.
SHE'S NO' UNDER THE TABLE.

WE'VE BEEN A' ROOND THE HOOSE. SHE'S DISAPPEARED!
OH DEAR!

HEN—
THERE SHE IS—IN THE FAIRMER'S NEEPS!

ME'S BEEN AWA' TAE THE FIELDS TAE GET THE TURNIPS GRAN-PAW WANTED FOR HIS NEW TROOSERS!
HO-HO! IT'S NO' TURNIPS, PET—IT'S TURN-UPS!

*Help m'boab! What a to-do!*

*Now Paw's got his feet up, too!*

THERE'S NOTHIN' LIKE A QUIET NICHT AT THE FIRESIDE!

BUT—
JINGS, WHIT A BUNCH! THE MINUTE YE'VE HAD YER TEA, YE PIT YER FEET UP!

YE'LL NO' CATCH ME WI' MY FEET UP WHEN THERE'S WORK TAE BE DONE. I'M GOIN' TAE FIX THIS SQUEAKY FLAIRBOARD!

MUCH LATER—
ACH, IT'S STILL NO' RIGHT! I'LL HAE TO FINISH IT IN THE MORNIN'!

ARE YE NO' PITTIN' THE BOARD BACK AFORE YE GO TAE BED?
WHIT'S THE POINT? YOU LOT ARE NEVER ON THE MOVE—YE SPEND A' YER TIME WI' YER FEET UP!
HMPH!

NEXT MORNING—
YAWN! I'LL PIT THE KETTLE ON AFORE I WASH MA FACE . . .

YEOWPS!

OOOOH!

WELL, WELL—GUESS WHA'S GOT HIS FEET UP NOW!

*Here's fresh air indeed—*

*Much more than they need!*

GET YOUR COATS ON, YOU LOT. WE'RE A' GOIN' TAE HELP MAW SPRING-CLEAN THE BUT 'N' BEN.
ACH, THE TV'S GREAT THIS WEEKEND!
WE'RE NO' IN THE MOOD FOR WORK.
I'D RATHER WATCH THE FITBA!

BUT—
HURRY UP. HERE'S THE BUS!
PUFF! I'M TIRED ALREADY!
ME TAE!
STOP MOANIN'! THINK O' THE GRAND FRESH AIR YE'RE GOIN' TAE GET!

AT THE BUT 'N' BEN—
PHEW! WE NEED A REST!
DINNA BE DAFT, LASSIE! THE REAL WORK'S JIST ABOOT TAE START!
LISTEN TAE HIM! I'LL BET HE DISNAE LIFT A FINGER TAE HELP!

COUGH! SPLUTTER! THIS IS HARD WORK!
AYE, AND I'M GETTIN' SMOTHERED IN DUST.
I'LL GO AND MAK' A CUP O' TEA!
TEA? ALREADY?

I KEN YOU LOT! ONCE YOU STOP, YE'LL NEVER GET STARTED AGAIN!

NAEBODY'S GOIN' INTAE THE KITCHEN UNTIL THE WORK'S FINISHED! THERE! I'VE CLOSED THE DOOR.
PAW! DON'T SHUT THE DOOR . . . OH, DEAR!

YE AULD FOOL—YE'VE LOCKED US OOT! AND A' THE KEYS ARE INSIDE!
AND THERE'S NO' ANITHER BUS HAME UNTIL THE MORN!

IT'S JIST AS WELL WE HAD THE FURNITURE OOTSIDE TAE CLEAN IT! AT LEAST WE'VE GOT A SEAT FOR THE NICHT!
WHIT ABOOT ME?
YOU? HUH! JIST THINK O' A' THE FRESH AIR YE'RE GETTIN'!

## *Well, well, well! Just fancy that —*

## *This vase has more lives than a cat!*

THERE'S A WEE GIFT FUR YER BIRTHDAY.
OH, THANKS VERY MUCH, AUNTIE ANNIE. THAT'S REAL GOOD O' YE.
OH, IT'S BEAUTIFUL!
JINGS! WHIT AN AWFY LOOKIN' MONSTROSITY!
LATER—
I'M NO SAE DAFT. IF AH PIT IT HERE, IT'LL LIKELY GET KNOCKED AFF!
SURE ENOUGH—
WATCH OOT, DAPH! YE'VE COUPED MAW'S BONNIE VASE!
THANKS, HEN. MAW WID HAVE BEEN FURIOUS IF AH'D BROKEN IT!
LATER THAT DAY—
LUCKY FOR YOU THE CUSHION WIZ THERE, PAW! YE'RE AWFY CLUMSY GETTIN'.
MAW'S VASE!
IT LANDED IN MY PRAM—RIGHT ON TEENIE MY DOLLY!
THAT EYESORE HAS MAIR LIVES THAN A CAT! WELL, THERE'S ONLY ONE THING FOR IT—
OH, DEAR, HOW CLUMSY OF ME. I WIZ WASHING MY NEW VASE WHEN IT JUST SLIPPED OOT O' MY HANDS!
PUIR MAW! SHE SOUNDS THAT UPSET!
NEXT NIGHT—
AH WIZ THAT SORRY ABOOT YER BONNIE VASE—AH BOCHT YE A WEE PRESENT!
THAT'S AWFY KIND O' YE, LADDIE!
AN' I'VE A PRESENT FOR YE, MA!
ME, TAE!
VASES! YE'VE A' GI'EN ME VASES LIKE AUNTIE ANNIE'S!
JUST THINK, MAW, YE STARTED AFF WI' ONE, AND NOW YE'VE GOT SEVEN. AREN'T YE LUCKY?
OH, IF ONLY THEY KNEW . . .

*Trust Granpaw Broon! He's not dozy —*

*See how he keeps these puddings cosy!*

YE'RE FALLIN' BEHIND WI' YER DARNIN', MAW!
WHIT DAE YE MEAN?

LOOK AT THAE SOCKS DAPHNE'S WEARIN'— THE FEET ARE RIGHT OOT O' THEM!

HAW-HAW! THEY'RE NO' SOCKS—THEY'RE LEG WARMERS, THE LATEST FASHION!
AYE, A' THE LASSIES ARE WEARIN' THEM, PAW!

ME'S KNITTIN' A PAIR FOR MY DOLLY!

LATER—
PAW—THE COOKER'S NO' WORKIN'! I CANNA COOK YER TEA.
WHIT? NAE TEA? WE CANNA HAE THAT!

NIP DOON TAE THE CHIPPIE AND GET SOME FISH SUPPERS. AND MIND AND GET ANE FOR GRANPAW!
AWA'! THE AULD SCROUNGER CAN BUY HIS AIN!

SO—
OH, GRANPAW, IF YE WANT YER TEA, YE'LL HAE TAE GO DOON TAE THE CHIPPIE. MY COOKER'S NO' WORKIN'.

A' RIGHT. I'LL TAK' THE BAIRN WI' ME.
AND ME TAK' MY DOLLY.

LATER—
AT LAST! YE'VE TAKEN YER TIME!
IT'S A FAIR DISTANCE FRAE THE CHIPPIE!

ACH, THAE FISH ARE STONE CAULD!
AND THE CHIPS ARE LIKE BLOCKS O' ICE!
HELLO, YOU LOT. WE'RE BACK!

HOW'S THAT! TWA WHITE PUDDIN'S, STEAMIN' HOT— THANKS TAE THE LEG WARMERS THE BAIRN KNITTED FOR HER DOLLY!
HO-HO!

*She's the smallest postie ever —*

*And she thinks she's affy clever!*

WHISPER . . . JIST LOOK AT DAPHNE! THAT'S ANOTHER LETTER FROM THAT LONDON LAD SHE MET OWER THE NEW YEAR.

COME ON, THEN, DAPH, LET'S SEE WHIT TREVOR'S SAYIN'!
AYE, GIES A READ!
CERTAINLY NOT!

LATER—
OO, ANOTHER LETTER FROM TREVOR. THAT'S THE FOURTEENTH!

DAPHNE, CAN I . . .
OH, AYE. DAE WHIT YE WANT—BUT DINNA INTERRUPT ME. I'M READIN' . . .

SHORTLY—
HERE, WHA'S BEEN MESSIN' WI' MY LETTERS FRAE TREVOR? THEY'RE NO' IN MY DRAWER!

COME ON, THEN, WHA'S GOT MY LETTERS FRAE TREVOR?
AWA' WI' YE! WHA'S INTERESTED IN YER MUSHY LETTERS?

WE SAW THE BAIRN PLAYIN' WI' THAT POSTIE OUTFIT SHE GOT AT CHRISTMAS.
AYE, SHE SAID SHE WAS AWA' TAE DELIVER SOME LETTERS.
OH, NO!

AND—
TITTER.
HO-HO!
LISTEN TAE THIS.
WHIT A LAUGH!
OH, AYE, ME'S BEEN HAEIN' RARE FUN BEING A POSTIE WI' REAL LETTERS. YOU SAID I COULD DAE WHIT I WANT, SO ME TOOK A' THAE AULD LETTERS YOU HAD AND PIT THEM THROUGH A' THE LETTER-BOXES IN THE STREET!

# Paw Broon comes off worst —

# When just for once, he's first!

I LIKE A LOT O' SAUCE ON MY CHIPS!
ME AS WELL! PASS IT OWER!
ME NEXT!
HURRY UP— WE'RE A' WAITIN'!

FINALLY—
JINGS, THERE'S NONE LEFT! TRUST ME TAE BE LAST!

NEXT MORNING—
HUH! LAST AGAIN!

BRR! THE WATER'S FREEZIN'. THAT'S WHIT COMES O' BEIN' LAST!

AND THE TOWEL'S SOAKIN'!

I'LL GET A QUICK READ O' THE PAPER!
YE'LL HAE TAE WAIT. JOE'S NEXT, THEN ME . . .
AND I'M WAITIN' TAE READ THE FITBA RESULTS!
SSH! I CANNA CONCENTRATE ON THE SERIAL!

AT LAST—
HELP M'BOAB! HOW DID IT GET IN THIS STATE?
OH, ER, I CUT OOT THIS SLIMMIN' RECIPE.
AND HEN SPILT HIS TEA ON IT!
WE MADE PAPER AIRYPLANES!

THAT DOES IT! FROM NOW ON, I'M GOIN' TAE BE FIRST IN THIS HOOSE!

JUST THEN—
I'VE RUN RIGHT OOT O' MILK! WHA'S GOIN' TAE BE THE FIRST TAE OFFER TAE NIP DOON TAE THE SHOPPIE?
HE IS!

HUH! I SUPPOSE I ASKED FOR THIS!

*It's Daphne's turn for fun —*

*When the menfolk have tae run!*

HERE—IT SAYS IN THE PAPER THAT THEY'RE LOOKIN' FOR ENTRIES FOR THE DRUMTOGLE MARATHON. AH THINK AH'LL HAE A GO!

WHIT? YOU IN A MARATHON? DINNA MAK' US LAUGH!
YOU WIDNAE CATCH US RUNNIN'—WE JIST TAK' A BUS!

NEXT NIGHT—
AH'LL SHOW YOU LOT! AN' AH'LL BE LOSIN' WEIGHT WHILE AH TRAIN!
YE WINNA STICK IT!

BUT A WEEK LATER—
WELL, AH'M AWA' DOON TAE THE ATHLETIC CLUB TO TRAIN WI' JESSIE GREEN. IT WID DAE YOU LOT GUID TAE DAE SOME RUNNIN'!
WE'VE TELT YE AFORE—YE WINNA CATCH US RUNNIN'! BUT WE'LL COME DOON AN' WATCH YOU, FOR A LAUGH!

AND SO—
LOOK, THERE SHE IS, WI' BIG JESSIE!

AH THOUGHT YE WERE GOIN' TAE LOSE WEIGHT—BUT YE STILL LOOK LIKE A SACK O' TATTIES!
AYE, YOU AN' JESSIE THERE!

A BIG JESSIE, AM I? AH'LL SACK O' TATTIES YE—YE BUNCH O' WINDBAGS!
GULP! IT'S NO' JESSIE—IT'S A MAN!

HO-HO! THAT'S MADE THEM RUN! ALEC WIS KEEPIN' ME COMPANY BECAUSE JESSIE DIDNA TURN UP!
HELP!

A'thing should be spick and span —

But something's gone wrong with their plan!

WE'RE AFFY SHORT O' CUPBOARD SPACE IN THIS HOOSE, PAW!
AWA'!

SEE WHIT I MEAN?
JINGS!

LEAVE IT TAE US—WE'LL BUILD YE A NEW CUPBOARD!
AYE, WE'LL GO AN' BUY THE STUFF RIGHT NOW!

TER—
WE GOT THE WOOD TAE MAK' THE NEW CUPBOARD.

BUT—
ACH! I'LL NEED TAE GET A NEW HAMMER! WE NEED MAIR NAILS, TAE!

D SOON—
THIS SAW WIDNA CUT BUTTER! I'LL NEED TAE BUY ANITHER ANE!

LATER—
JIST LOOK AT THE STATE O' THIS PENT BRUSH!
WE'LL NEED TAE NIP OOT AND GET ANITHER ANE. WE'LL BUY SOME MAIR PENT AT THE SAME TIME!

ALLY—
THERE YE ARE, MAW—FINISHED!
BRAW. BUT THERE'S JIST ONE THING...

...WE'LL NEED ANITHER CUPBOARD TAE KEEP A' THE NEW STUFF YE'VE BOUGHT IN TAE MAK' THIS ANE!

*Help m'boab! There's just nae doobt —*

*This teddy bear sure gets aboot*

THIS IS AFFY GUID O' YE SPONSORIN' ME FOR THE TOON MARATHON.
ACH, IT'S FOR A GUID CAUSE, TAM. I'LL GIE YE THREEPENCE A MILE.

PIT ME DOON FOR FOWERPENCE A MILE!
I'LL HAE TAE SETTLE FOR TUPPENCE A MILE. I'M HARD-UP THIS WEEK!
PUT ME DOWN FOR THREEPENCE . . .

PA, WILL YOU SPONSOR TEDDY?
OH, ER, AYE. SEE'S YER FORM!

THERE YE ARE, PET. TENPENCE A MILE!
YOU AS WELL, JOE! AND YOU, DAPHNE!

THERE, WE'VE A' PIT DOON OOR NAMES. I HOPE YER TEDDY'S A GUID RUNNER!

MARATHON DAY.
COME ON, LET'S GO DOON AN' SEE HOW TAM GOT ON IN THE MARATHON.
GUID IDEA! WE'RE JIST IN TIME TAE SEE HOW MUCH WE OWE HIM NOW!

WELL DONE, TAM!

YE'VE A' THAT MONEY TAE PAY TEDDY, AS WELL!
NA, NA! YE'VE GOT TAE RUN THE MARATHON AFORE YE GET THE SPONSOR MONEY, PET!
BUT TEDDY DID RUN THE RACE! ME GAVE HIM TAE TAM AS A MASCOT TAE BRING HIM LUCK!
EH?
GASP!

THE FLY WEE THING! SHE'S NO' DAFT!
PAY UP!